똑똑한
하루
사고력

창의·융합·서술·코딩

초등
수학 **3B**
3학년 수준

구성 및 특장

똑똑한 하루 사고력

어떤 문제가 주어지더라도 해결할 수 있는 능력,
이미 알고 있는 것을 바탕으로 새로운 것을 이해하는 능력
위와 같은 능력이 사고력입니다.

똑똑한 하루 사고력

개념 · 원리 길잡이

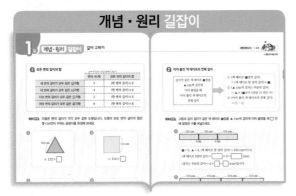

개념과 원리를 배우고 문제를 통해 익힙니다.

하루에 6쪽씩
하나의
주제로 학습합니다.

서술형 · 독해력 길잡이

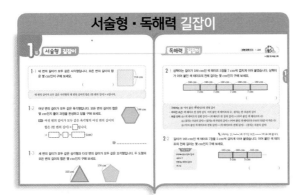

서술형 문제를 푸는 연습을 하고 긴 문제도 해석할 수
있는 독해력을 키웁니다.

사고력 · 코딩

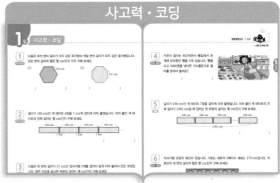

한 주 동안 학습한 내용과 관련 있는 창의 · 융합 문제와
코딩 문제를 풀어 봅니다.

똑똑한 하루 사고력　특강과 테스트

한 주의 특강

특강 부분을 통해 더
다양한 사고력 문제를
풀어 봅니다.

누구나 100점 테스트

한 주 동안 공부한 내용
으로 테스트합니다.

차례

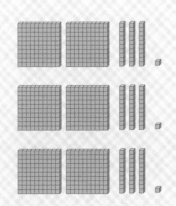

백 모형: $2 \times 3 = 6$(개) ➡ 600
십 모형: $3 \times 3 = 9$(개) ➡ 90
일 모형: $1 \times 3 = 3$(개) ➡ 3
➡ $231 \times 3 = 600 + 90 + 3 = 693$

$$231 \times 3 = 693$$

만화로 미리 보기

$$60 \div 3 = 20$$

$$30 \div 2 = 15$$

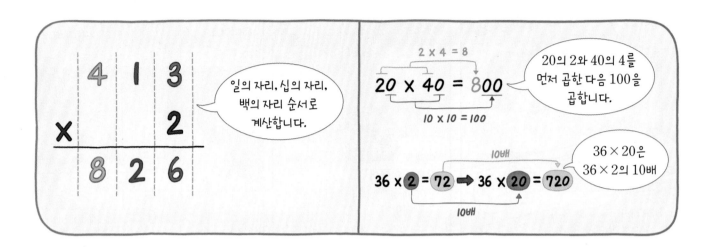

확인 문제

1-1 계산해 보세요.

(1) $132 \times 3 =$ ☐

(2) $30 \times 40 =$ ☐

(3) $45 \times 50 =$ ☐

한번 더

1-2 계산해 보세요.

(1) $213 \times 4 =$ ☐

(2) $50 \times 60 =$ ☐

(3) $65 \times 80 =$ ☐

2-1 빈 곳에 알맞은 수를 써넣으세요.

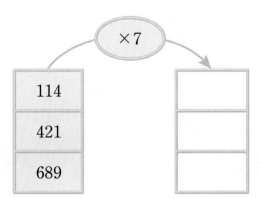

2-2 빈 곳에 알맞은 수를 써넣으세요.

$\times$		
531	6	
318	7	
795	9	

교과 내용 확인하기

▶정답 및 해설 2쪽

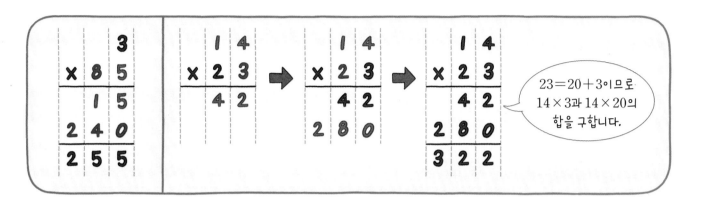

23=20+3이므로 14×3과 14×20의 합을 구합니다.

확인 문제

3-1 계산해 보세요.

(1) $4 \times 37 = \boxed{}$

(2) $25 \times 56 = \boxed{}$

(3) $68 \times 79 = \boxed{}$

한번 더

3-2 계산해 보세요.

(1) $6 \times 48 = \boxed{}$

(2) $43 \times 65 = \boxed{}$

(3) $87 \times 96 = \boxed{}$

4-1 빈 곳에 알맞은 수를 써넣으세요.

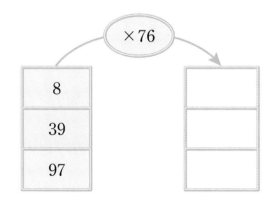

4-2 빈 곳에 알맞은 수를 써넣으세요.

$\times$		
9	46	
38	57	
79	89	

1 모든 변의 길이의 합

꼭짓점의 수를 이용해도 됩니다.

	변의 수(개)	모든 변의 길이의 합
세 변의 길이가 모두 같은 **삼**각형	3	(한 변의 길이)×3
네 변의 길이가 모두 같은 **사**각형	4	(한 변의 길이)×4
다섯 변의 길이가 모두 같은 **오**각형	5	(한 변의 길이)×5
여섯 변의 길이가 모두 같은 **육**각형	6	(한 변의 길이)×6

활동 문제 다음은 변의 길이가 각각 모두 같은 도형입니다. 도형의 모든 변의 길이의 합은 몇 cm인지 구하는 곱셈식을 완성해 보세요.

1

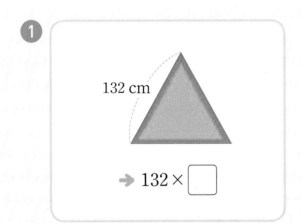

132 cm

➡ 132 × ☐

2

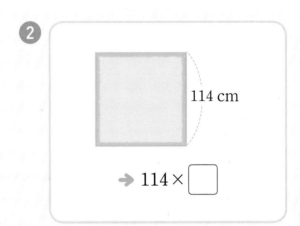

114 cm

➡ 114 × ☐

3

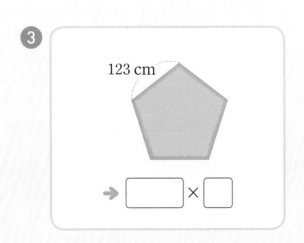

123 cm

➡ ☐ × ☐

4

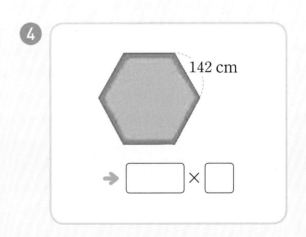

142 cm

➡ ☐ × ☐

▶정답 및 해설 2쪽

② 이어 붙인 색 테이프의 전체 길이

길이가 같은 색 테이프 ■장을
▲ cm씩 겹치게
이어 붙였을 때
이어 붙인 색 테이프의
전체 길이

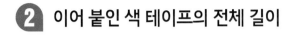

① (색 테이프 ■장의 길이)
   =(색 테이프 한 장의 길이)×■
② (▲ cm씩 겹치는 부분의 길이)
   =▲×(■보다 1만큼 더 작은 수)
③ (이어 붙인 색 테이프의 전체 길이)
   =①−②

활동 문제 그림과 같이 길이가 같은 색 테이프 ■장을 ▲ cm씩 겹치게 이어 붙였을 때 ☐ 안에 알맞은 수를 써넣으세요.

①

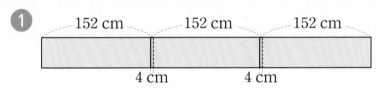

■=3, ▲=4, (색 테이프 한 장의 길이)=152 cm이므로

(색 테이프 3장의 길이)=☐×3=☐ (cm),

(겹치는 부분의 길이)=4×☐=☐ (cm)입니다.

②

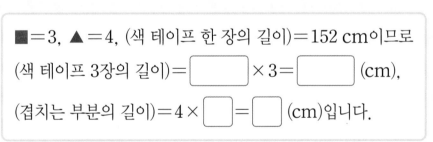

■=☐, ▲=☐, (색 테이프 한 장의 길이)=☐ cm이므로

(색 테이프 4장의 길이)=☐×4=☐ (cm),

(겹치는 부분의 길이)=5×☐=☐ (cm)입니다.

1-1 네 변의 길이가 모두 같은 사각형입니다. 모든 변의 길이의 합은 몇 cm인지 구해 보세요.

218 cm

( )

네 변의 길이가 모두 같은 사각형의 네 변의 길이의 합은 (한 변의 길이)×4입니다.

1-2 여섯 변의 길이가 모두 같은 육각형입니다. 모든 변의 길이의 합은 몇 cm인지 풀이 과정을 완성하고 답을 구해 보세요.

186 cm

풀이 여섯 변의 길이가 모두 같은 육각형의 여섯 변의 길이의 합은 (한 변의 길이)× $\boxed{}$ 입니다.

➡ $\boxed{}$ × $\boxed{}$ = $\boxed{}$ (cm)

답 _____

1-3 세 변의 길이가 모두 같은 삼각형과 다섯 변의 길이가 모두 같은 오각형입니다. 두 도형의 모든 변의 길이의 합은 몇 cm인지 구해 보세요.

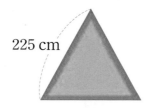 

225 cm

176 cm

(1) 삼각형의 모든 변의 길이의 합은 몇 cm인지 구해 보세요.

( )

(2) 오각형의 모든 변의 길이의 합은 몇 cm인지 구해 보세요.

( )

(3) 두 도형의 모든 변의 길이의 합은 몇 cm인지 구해 보세요.

( )

2-1 상혁이는 길이가 180 cm인 색 테이프 5장을 7 cm씩 겹치게 이어 붙였습니다. 상혁이가 이어 붙인 색 테이프의 전체 길이는 몇 cm인지 구해 보세요.

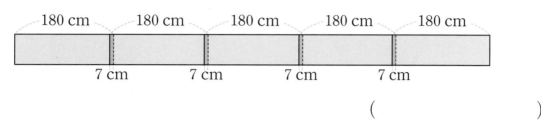

(   )

- **구하려는 것:** 이어 붙인 색 테이프의 전체 길이
- **주어진 조건:** 색 테이프 한 장의 길이, 이어 붙인 색 테이프의 수, 겹치는 한 부분의 길이
- **해결 전략:** ❶ (색 테이프의 전체 길이)=(색 테이프 한 장의 길이)×(이어 붙인 색 테이프의 수)
  ❷ (겹치는 부분의 길이)=(겹치는 한 부분의 길이)×(이어 붙인 색 테이프의 수보다 1만큼 더 작은 수)
  ❸ (이어 붙인 색 테이프의 전체 길이)=(색 테이프의 전체 길이)−(겹치는 부분의 길이)

✎ 구하려는 것(﹏﹏)과 주어진 조건(──────)에 표시해 봅니다.

2-2 길이가 165 cm인 색 테이프 7장을 5 cm씩 겹치게 이어 붙였습니다. 이어 붙인 색 테이프의 전체 길이는 몇 cm인지 구해 보세요.

해결 전략

(색 테이프의 전체 길이)
=165×7
(겹치는 부분의 길이)
=5×6

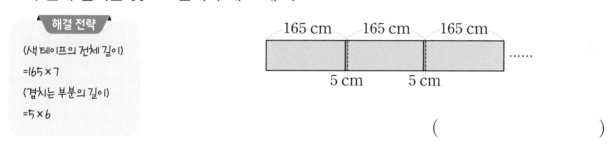

(   )

2-3 길이가 135 cm인 색 테이프 8장을 9 cm씩 겹치게 이어 붙였습니다. 이어 붙인 색 테이프의 전체 길이는 몇 cm인지 구해 보세요.

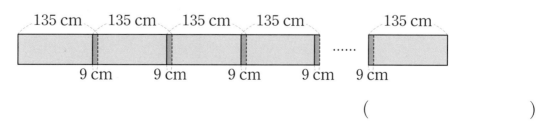

(   )

1
문제 해결

다음은 여섯 변의 길이가 모두 같은 육각형과 여덟 변의 길이가 모두 같은 팔각형입니다.
모든 변의 길이의 합은 몇 cm인지 각각 구해 보세요.

(1)
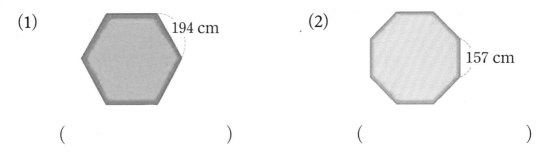

194 cm

(2)

157 cm

(　　　　　)　　　　　(　　　　　)

2
문제 해결

길이가 169 cm인 색 테이프 6장을 7 cm씩 겹치게 이어 붙였습니다. 이어 붙인 색 테이프의 전체 길이는 몇 cm인지 구해 보세요.

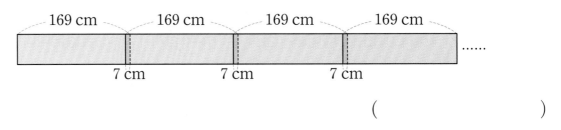

169 cm　　　169 cm　　　169 cm　　　169 cm

7 cm　　　7 cm　　　7 cm

(　　　　　)

3
문제 해결

다음은 한 변의 길이가 37 cm인 정사각형 3개를 겹치지 않게 이어 붙여서 만든 모양입니다. 굵은 선으로 표시된 부분의 길이는 몇 cm인지 구해 보세요.

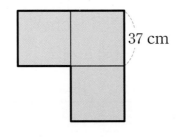

37 cm

(　　　　　)

▶정답 및 해설 3쪽

4
창의·융합

가은이 엄마는 퇴근하면서 빵집에서 한 개에 650원인 빵을 5개 샀습니다. 빵을 사고 5000원을 냈다면 거스름돈으로 얼마를 받아야 할까요?

(   )

5
추론

길이가 190 cm인 색 테이프 7장을 겹치게 이어 붙였습니다. 이어 붙인 색 테이프의 전체 길이가 1282 cm일 때 겹치는 한 부분의 길이는 몇 cm인지 구해 보세요.

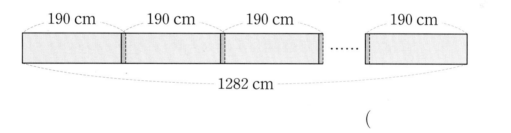

(   )

6
창의·융합

직사각형 모양의 화단이 있습니다. 가로는 세로의 2배이고 세로는 179 cm입니다. 이 화단의 네 변의 길이의 합은 몇 cm인지 구해 보세요.

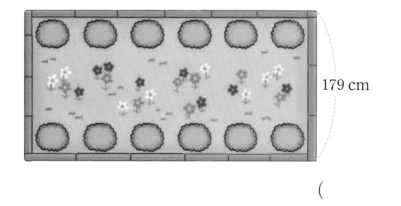

179 cm

(   )

❶ 매주 일정하게 모은 돈

예 매주 50원짜리 동전을 20개씩 모았을 때 4주일 동안 모은 돈 구하기

➡ 50원짜리 동전 한 개는 50원이고, 모은 50원짜리 동전은 20개입니다.

(1주일 동안 모은 돈)$=50\times$(모은 50원짜리 동전 수)이므로

$50\times20=1000$(원)입니다.

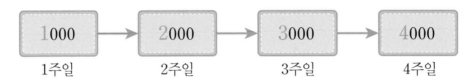

1000	2000	3000	4000
1주일	2주일	3주일	4주일

따라서 4주일 동안 모은 돈은 4000원입니다.

활동 문제 가은이와 친구들이 돼지 저금통에 50원짜리 동전을 모았습니다. 모은 동전 수가 다음과 같을 때 친구들이 모은 돈은 모두 얼마인지 각각 곱셈식을 완성하여 구해 보세요.

가은 **50** 20개

➡ $50\times20=\boxed{}$(원)

정린 **50** 30개

➡ $50\times\boxed{}=\boxed{}$(원)

남경 **50** 50개

➡ $\boxed{}\times\boxed{}=\boxed{}$(원)

연희 **50** 60개

➡ $\boxed{}\times\boxed{}=\boxed{}$(원)

2 모인 동물들의 다리 수

예 소 13마리와 닭 27마리의 다리 수의 합 구하기

① 소 한 마리의 다리는 4개이고, 소는 13마리입니다.

(소 13마리의 다리 수)＝(소 한 마리의 다리 수)×13이므로 4×13＝52(개)입니다.

② 닭 한 마리의 다리는 2개이고, 닭은 27마리입니다.

(닭 27마리의 다리 수)＝(닭 한 마리의 다리 수)×27이므로 2×27＝54(개)입니다.

따라서 소 13마리와 닭 27마리의 다리 수의 합은 52＋54＝106(개)입니다.

참고 동물의 다리 수

2개: 오리, 거위, 닭, 비둘기 등	6개: 개미, 메뚜기, 벌, 사마귀 등
4개: 소, 말, 개, 코끼리 등	8개: 문어, 낙지, 주꾸미, 거미 등

활동 문제 모인 동물의 수가 다음과 같을 때 모인 동물들의 다리는 모두 몇 개인지 구하는 곱셈 식을 완성해 보세요.

1

코뿔소
13마리
➡ 4 × ☐

2

메뚜기
58마리
➡ 6 × ☐

3

오리
39마리
➡ ☐ × ☐

4

문어
27마리
➡ ☐ × ☐

1-1 상혁이가 돼지 저금통에 50원짜리 동전을 모았습니다. 모은 동전 수가 오른쪽과 같을 때 상혁이가 돼지 저금통에 모은 돈은 모두 얼마인지 구해 보세요.

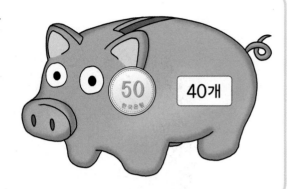

(   )

50원짜리 동전 한 개는 50원이고, 모은 50원짜리 동전은 40개이므로
(돼지 저금통에 모은 돈)＝50×(모은 50원짜리 동전 수)입니다.

1-2 준서가 돼지 저금통에 50원짜리 동전을 모았습니다. 모은 동전 수가 오른쪽과 같을 때 준서가 돼지 저금통에 모은 돈은 모두 얼마인지 풀이 과정을 완성하고 답을 구해 보세요.

풀이 50원짜리 동전 한 개는 50원이고,

모은 50원짜리 동전은 $\boxed{}$ 개이므로

(돼지 저금통에 모은 돈)＝50×(모은 50원짜리 동전 수)입니다.

➔ 50 × $\boxed{}$ = $\boxed{}$ (원)

답 _____

1-3 경은이가 돼지 저금통에 50원짜리 동전을 48개 모았습니다. 3000원을 모으려면 50원짜리 동전을 몇 개 더 모아야 하는지 구해 보세요.

(   )

2-1 연경이는 마구간에 있는 말 24마리의 다리 수를 세어 보았습니다. 연경이가 세어 본 마구간에 있는 말의 다리는 모두 몇 개인지 구해 보세요.

내 다리는 4개야.

(   )

- 구하려는 것: 마구간에 있는 말의 다리 수
- 주어진 조건: 마구간에 있는 말의 수
- 해결 전략: (마구간에 있는 말의 다리 수)=(말 한 마리의 다리 수)×(마구간에 있는 말의 수)

✎ 구하려는 것(〜〜)과 주어진 조건(———)에 표시해 봅니다.

2-2 민수는 놀이터의 화단 근처에 모여 있는 개미 28마리의 다리 수를 세어 보았습니다. 민수가 세어 본 개미의 다리는 모두 몇 개인지 구해 보세요.

내 다리는 6개야.

해결 전략

(모여 있는 개미의 다리 수)
=(개미 한 마리의 다리 수)
×(모여 있는 개미의 수)

(   )

2-3 영아는 실험실에서 메뚜기 16마리와 거미 37마리의 다리 수를 세어 보았습니다. 영아가 세어 본 메뚜기와 거미의 다리 수의 합은 몇 개인지 구해 보세요.

내 다리는 6개야.

내 다리는 8개야.

(   )

1 문제 해결

공원에 바퀴가 2개인 두발자전거 14대와 바퀴가 3개인 세발자전거 23대가 있습니다. 두발자전거의 바퀴 수와 세발자전거의 바퀴 수의 합은 몇 개인지 구해 보세요.

(   )

2 문제 해결

한 변의 길이가 9 cm인 정사각형 10개를 겹치지 않게 이어 붙여서 만든 모양입니다. 굵은 선으로 표시된 부분의 길이는 몇 cm인지 구해 보세요.

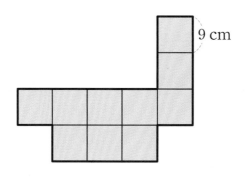

9 cm

(   )

3 추론

도로의 한쪽에 85 m 간격으로 나무를 심으려고 합니다. 처음부터 끝까지 심은 나무가 51그루일 때 도로의 길이는 몇 m인지 구해 보세요. (단, 나무의 두께는 생각하지 않습니다.)

85 m

(   )

▶정답 및 해설 3쪽

4

문제 해결

물감에 가려져 보이지 않는 수를 구해 보세요.

(1)
$$
\begin{array}{r}
3 \\
\times \ \bullet\bullet \\
\hline
1\ 3\ 5
\end{array}
$$

● (   )

● (   )

(2)
$$
\begin{array}{r}
7 \\
\times \ \bullet\bullet \\
\hline
4\ 7\ 6
\end{array}
$$

● (   )

● (   )

5

추론

보기 와 같이 동물이 들어가면 일정한 규칙에 따라 수가 써 있는 구슬이 나오는 상자입니다. 같은 규칙에 따라 넣었을 때 빈 곳에 알맞은 수를 써 보세요.

보기

(1)

(2)

1 가장 큰 곱셈식 만들기 (단, 0은 사용하지 않습니다.)

①＞②＞③＞④인 수로 가장 큰 곱 만들기

(세 자리 수)×(한 자리 수)

②→③→④

× ①

(두 자리 수)×(두 자리 수)

① ④

× ② → ③

활동 문제 애벌레에 써 있는 수를 한 번씩 사용하여 곱이 가장 큰 곱셈식을 각각 만들려고 합니다. ☐ 안에 알맞은 수를 써넣으세요.

1

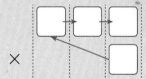

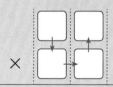

2

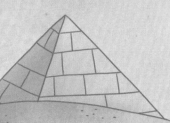

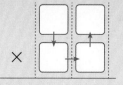

▶정답 및 해설 4쪽

② 가장 작은 곱셈식 만들기 (단, 0은 사용하지 않습니다.)

①<②<③<④인
수로 가장 작은 곱
만들기

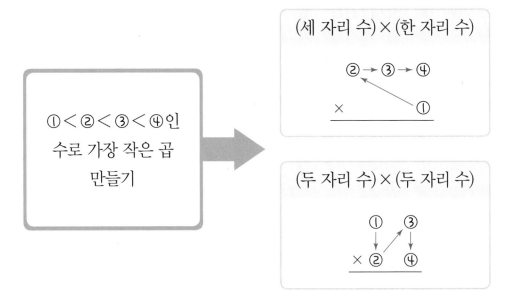

(세 자리 수) × (한 자리 수)

②→③→④

× 　　　　①

(두 자리 수) × (두 자리 수)

①　③

× ②　④

활동 문제 나비와 두더지에 써 있는 수를 한 번씩 사용하여 곱이 가장 작은 곱셈식을 각각 만들려고 합니다. ☐ 안에 알맞은 수를 써넣으세요.

1-1 수 카드 4장을 한 번씩 사용하여 (두 자리 수)×(두 자리 수)의 곱셈식을 만들었습니다. 곱이 가장 큰 곱셈식을 만들고 곱을 구해 보세요.

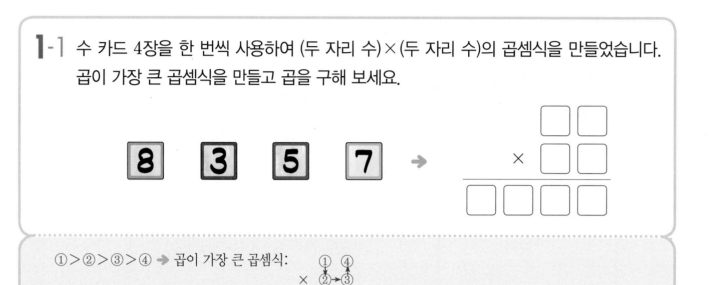

①>②>③>④ ➡ 곱이 가장 큰 곱셈식:

1-2 수 카드 4장을 한 번씩 사용하여 (두 자리 수)×(두 자리 수)의 곱셈식을 만들었습니다. 주어진 수 카드의 수의 크기를 비교하여 곱이 가장 큰 곱셈식을 만들고 곱을 구해 보세요.

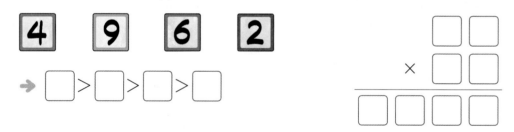

1-3 수 카드 4장을 한 번씩 사용하여 (세 자리 수)×(한 자리 수)와 (두 자리 수)×(두 자리 수)의 곱셈식을 각각 만들었습니다. 곱이 가장 큰 곱셈식을 각각 만들고 곱을 구해 보세요.

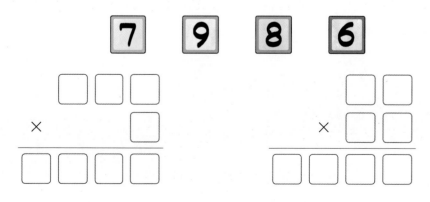

2-1 가은이는 수 카드 5장 중 4장을 골라 한 번씩 사용하여 (두 자리 수)×(두 자리 수)의 곱셈식을 만들었습니다. 곱이 가장 작은 곱셈식을 만들고 곱을 구해 보세요.

$$\boxed{3} \quad \boxed{8} \quad \boxed{5} \quad \boxed{7} \quad \boxed{4} \quad \rightarrow \quad \boxed{}\boxed{} \times \boxed{}\boxed{}$$

(   )

- 구하려는 것: 곱이 가장 작은 곱셈식과 곱 구하기
- 주어진 조건: ① 수 카드 5장 ② 4장을 골라 한 번씩 사용하기
- 해결 전략: 3＜4＜5＜7＜8 → 3＜4＜5＜7 →

$$\begin{array}{r} 3\ \ 5 \\ \times\ 4\ \ 7 \end{array}$$

✐ 구하려는 것(〜〜)과 주어진 조건(———)에 표시해 봅니다.

2-2 수 카드 5장 중 4장을 골라 한 번씩 사용하여 (두 자리 수)×(두 자리 수)의 곱셈식을 만들었습니다. 곱이 가장 작은 곱셈식을 만들고 곱을 구해 보세요.

해결 전략

①＜②＜③＜④
➡ 곱이 가장 작은 곱셈식:
$$\begin{array}{r} ①\ \ ③ \\ \times\ ②\ \ ④ \end{array}$$

$$\boxed{6} \quad \boxed{1} \quad \boxed{9} \quad \boxed{5} \quad \boxed{2}$$

$$\rightarrow \quad \boxed{}\boxed{} \times \boxed{}\boxed{}$$

(   )

2-3 수 카드 5장 중 4장을 골라 한 번씩 사용하여 (세 자리 수)×(한 자리 수)와 (두 자리 수)×(두 자리 수)의 곱셈식을 각각 만들었습니다. 곱이 가장 작은 곱셈식을 각각 만들고 곱을 구해 보세요.

$$\boxed{8} \quad \boxed{9} \quad \boxed{5} \quad \boxed{7} \quad \boxed{6}$$

- 곱이 가장 작은 (세 자리 수)×(한 자리 수): $\boxed{}\boxed{}\boxed{} \times \boxed{} = \boxed{}$
- 곱이 가장 작은 (두 자리 수)×(두 자리 수): $\boxed{}\boxed{} \times \boxed{}\boxed{} = \boxed{}$

1 주어진 두 자리 수 중 두 수를 골라 곱이 가장 큰 식과 가장 작은 식을 각각 만들고 곱을 구해 보세요.

| 83 | 45 | 29 | 67 | 31 |

• 곱이 가장 큰 경우: □ × □ = □

• 곱이 가장 작은 경우: □ × □ = □

2 수 카드 4장을 한 번씩 사용하여 곱셈식을 만들었습니다. 곱셈식을 만들고 곱을 구해 보세요.

4 3 7 5

(1) 곱이 가장 큰 (세 자리 수) × (한 자리 수) ➡ □□□ × □ = □

(2) 곱이 가장 큰 (두 자리 수) × (두 자리 수) ➡ □□ × □□ = □

(3) 곱이 가장 작은 (세 자리 수) × (한 자리 수) ➡ □□□ × □ = □

(4) 곱이 가장 작은 (두 자리 수) × (두 자리 수) ➡ □□ × □□ = □

▶정답 및 해설 5쪽

3 문제 해결

공 5개 중 4개를 골라 공에 써 있는 수를 한 번씩 사용하여 곱이 가장 큰 곱셈식 ㉠과 ㉡을 각각 만들었습니다. ㉠과 ㉡ 중 계산 결과가 더 큰 것을 찾아 기호를 써 보세요.

㉠ (세 자리 수)×(한 자리 수)
㉡ (두 자리 수)×(두 자리 수)

(   )

4 문제 해결

공 5개 중 4개를 골라 공에 써 있는 수를 한 번씩 사용하여 곱이 가장 작은 곱셈식 ㉠과 ㉡을 각각 만들었습니다. ㉠과 ㉡ 중 계산 결과가 더 작은 것을 찾아 기호를 써 보세요.

㉠ (세 자리 수)×(한 자리 수)
㉡ (두 자리 수)×(두 자리 수)

(   )

5 창의 · 융합

중국 숫자 6개 중 4개를 골라 한 번씩 사용하여 (두 자리 수)×(두 자리 수)의 곱셈식을 만들었습니다. 곱이 가장 큰 경우와 가장 작은 경우 계산 결과의 차는 얼마인지 구해 보세요.

	1	2	3	4	5	6	7	8	9
중국 숫자(한자)	一	二	三	四	五	六	七	八	九

三	五	九	四	六	八

(   )

1 우리나라 돈으로 바꾸기

다른 나라에 가서 돈을 쓰려면 그 나라에서 사용하는 돈으로 바꾸어 가는 것이 좋습니다. 다른 나라 돈으로 교환할 때 지불하는 우리나라 돈의 가격은 정해진 환율에 따르지만 환율은 고정이 아니랍니다.

예

일본 돈 1엔 = 우리나라 돈 10원

→ (일본 돈 5엔)
= (일본 돈 1엔)×5
= (우리나라 돈 10원)×5
= 10×5 = 50(원)

활동 문제 어느 날 환율이 다음과 같을 때 ☐ 안에 알맞은 수를 써넣으세요.

1

중국 돈 1위안 = 우리나라 돈 167원

→ (중국 돈 4위안)
= (중국 돈 1위안)×4
= (우리나라 돈 ☐ 원)×4

2

헝가리 돈 1포린트 = 우리나라 돈 3원

→ (헝가리 돈 25포린트)
= (헝가리 돈 1포린트)× ☐
= (우리나라 돈 ☐ 원)×25

3

러시아 돈 1루블 = 우리나라 돈 15원

→ (러시아 돈 30루블)
= (러시아 돈 1루블)× ☐
= (우리나라 돈 ☐ 원)×30

▶정답 및 해설 6쪽

② 바르게 계산한 값 구하기

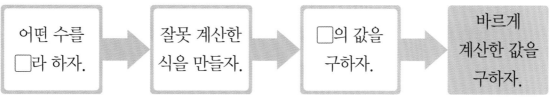

| 어떤 수를 □라 하자. | → | 잘못 계산한 식을 만들자. | → | □의 값을 구하자. | → | 바르게 계산한 값을 구하자. |

예 어떤 수에 3을 곱해야 할 것을 잘못하여 뺐더니 62가 되었습니다. 바르게 계산한 값 구하기

→ 덧셈과 뺄셈의 관계

잘못 계산한 식: □ － 3＝62 ➡ □의 값: 62＋3＝□, □＝65

바르게 계산한 식: □ × 3 ➡ 바르게 계산한 값: 65×3＝195

활동 문제 어떤 수를 ■라 할 때 잘못 계산한 식과 바르게 계산한 식을 각각 완성해 보세요.

1

어떤 수에 4를 곱해야 할 것을 잘못하여 더했더니 29가 되었습니다.

➡

잘못 계산한 식: ■ (＋ , ×) 4＝29

바르게 계산한 식: ■ (－ , ×) 4

2

어떤 수에 7을 곱해야 할 것을 잘못하여 뺐더니 81이 되었습니다.

➡

잘못 계산한 식: ■ (－ , ×) 7＝81

바르게 계산한 식: ■ (＋ , ×) □

3

어떤 수에 19를 곱해야 할 것을 잘못하여 더했더니 26이 되었습니다.

➡

잘못 계산한 식: ■ (－ , ＋) □ ＝26

바르게 계산한 식: ■ (× , ÷) □

1-1 어느 날 인터넷으로 환율을 조사하였습니다. 조사한 환율이 오른쪽과 같을 때 필리핀 돈 35페소는 우리나라 돈으로 얼마인지 구해 보세요.

필리핀 돈 1페소 = 우리나라 돈 23원

( )

(필리핀 돈 1페소)=(우리나라 돈 23원), (필리핀 돈 35페소)=(필리핀 돈 1페소)×35

1-2 어느 날 인터넷으로 환율을 조사하였습니다. 조사한 환율이 오른쪽과 같을 때 파키스탄 돈 89루피는 우리나라 돈으로 얼마인지 풀이 과정을 완성하고 답을 구해 보세요.

파키스탄 돈 1루피 = 우리나라 돈 7원

풀이 (파키스탄 돈 89루피)=(파키스탄 돈 1루피)× ☐ 이고,

(파키스탄 돈 1루피)=(우리나라 돈 ☐ 원)이므로

(파키스탄 돈 89루피)= ☐ × ☐ = ☐ (원)입니다.

답 _____

1-3 어느 날 인터넷으로 환율을 조사하였습니다. 조사한 환율이 다음과 같을 때 캐나다 돈 5달러는 우리나라 돈으로 얼마인지 구해 보세요.

| 캐나다 돈 1달러 | = | 우리나라 돈 853원 |

( )

2-1 상혁이는 어떤 수에 30을 곱해야 할 것을 잘못하여 더했더니 53이 나왔습니다. 상혁이가 바르게 계산한다면 바르게 계산한 값은 얼마가 나오는지 구해 보세요.

어떤 수 먼저?

(   )

- 구하려는 것: 바르게 계산한 값
- 주어진 조건: 어떤 수에 30을 곱해야 할 것을 잘못하여 더했더니 53이 나왔음
- 해결 전략: ❶ 어떤 수를 □라 하여 □를 구하는 식 세우기 ➡ □+30=53
  ❷ 덧셈과 뺄셈의 관계를 이용하여 □의 값 구하기
  ❸ 바르게 계산한 값을 구하는 식 ➡ □×30

✏️ 구하려는 것(〰)과 주어진 조건(──)에 표시해 봅니다.

2-2 어떤 수에 29를 곱해야 하는데 잘못하여 빼었더니 58이 되었습니다. 바르게 계산한 값은 얼마인지 구해 보세요.

해결 전략

❶ 잘못 계산한 식을 세워 어떤 수 구하기
❷ 바르게 계산한 값 구하기

(   )

2-3 어떤 수에 7을 곱해야 할 것을 잘못하여 빼었더니 564가 되었습니다. 바르게 계산한 값은 얼마인지 구해 보세요.

(   )

1 코딩   순서도에 따라 출력되는 값을 구해 보세요.

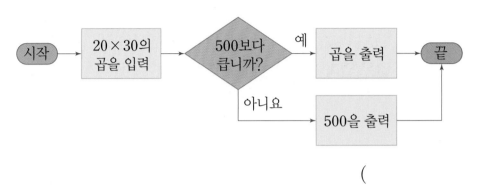

(   )

2 창의·융합   저울의 양쪽에 있는 두 수의 곱이 같습니다. ☐ 안에 알맞은 수를 구해 보세요.

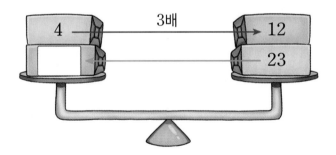

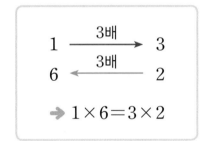

3 문제 해결   ☐ 안에 알맞은 수를 써넣으세요.

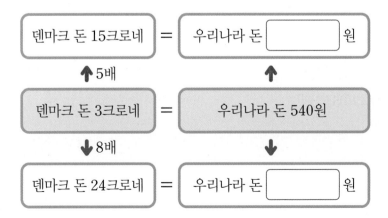

4 문제 해결

0이 있는 곱으로 만들어 곱셈을 계산하려고 합니다. ☐ 안에 알맞은 수를 써넣으세요.

(1)

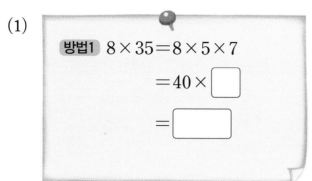

방법1 $8 \times 35 = 8 \times 5 \times 7$
$= 40 \times \boxed{}$
$= \boxed{}$

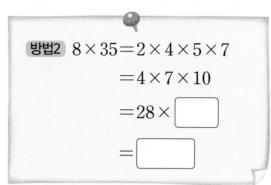

방법2 $8 \times 35 = 2 \times 4 \times 5 \times 7$
$= 4 \times 7 \times 10$
$= 28 \times \boxed{}$
$= \boxed{}$

(2)

방법1 $18 \times 25 = 9 \times 2 \times 25$
$= 9 \times \boxed{}$
$= \boxed{}$

방법2 $18 \times 25 = 2 \times 9 \times 5 \times 5$
$= 9 \times 5 \times \boxed{}$
$= 45 \times \boxed{}$
$= \boxed{}$

5 추론

주어진 수 4개를 규칙에 따라 한 번씩 사용하여 곱셈식을 만들었습니다. ☐ 안에 알맞은 수를 써넣고 계산해 보세요.

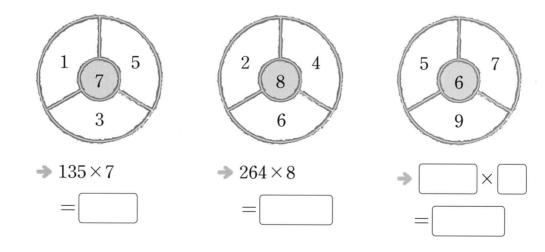

→ 135×7
$= \boxed{}$

→ 264×8
$= \boxed{}$

→ $\boxed{} \times \boxed{}$
$= \boxed{}$

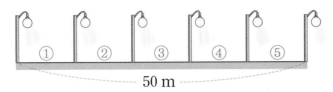

1 가로등 사이의 간격 구하기

예 길이가 50 m인 도로의 한쪽에 같은 간격으로 처음부터 끝까지 가로등을 6개 세우려고 할 때 가로등 사이의 간격 구하기 (단, 가로등의 두께는 생각하지 않습니다.)

① ② ③ ④ ⑤
50 m

가로등 수는 가로등 사이의 간격 수보다 1만큼 더 크네.

→ (가로등 사이의 간격 수)=(가로등 수)−1이므로
　(가로등 사이의 간격 수)=6−1=5(군데)입니다.
　(가로등 사이의 간격)=(도로의 한쪽 길이)÷(가로등 사이의 간격 수)이므로
　(가로등 사이의 간격)=50÷5=10 (m)입니다.

활동 문제 도로의 한쪽에 같은 간격으로 처음부터 끝까지 가로등을 세우려고 합니다. 도로 한쪽의 길이와 세우려는 가로등 수가 다음과 같을 때 ☐ 안에 알맞은 수를 써넣으세요. (단, 가로등의 두께는 생각하지 않습니다.)

1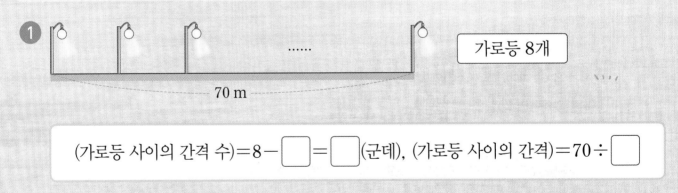
...... 가로등 8개
70 m

(가로등 사이의 간격 수)=8−☐=☐(군데), (가로등 사이의 간격)=70÷☐

2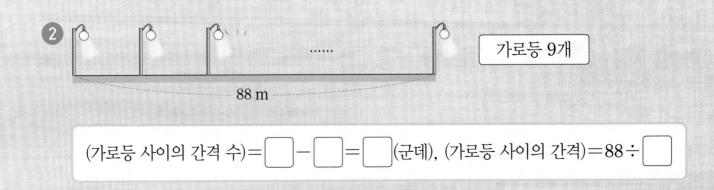
...... 가로등 9개
88 m

(가로등 사이의 간격 수)=☐−☐=☐(군데), (가로등 사이의 간격)=88÷☐

2 한 변의 길이 구하기

→ 꼭짓점의 수를 이용해도 됩니다.

	변의 수(개)	한 변의 길이
세 변의 길이가 모두 같은 **삼**각형	3	(모든 변의 길이의 합)÷3
네 변의 길이가 모두 같은 **사**각형	4	(모든 변의 길이의 합)÷4
다섯 변의 길이가 모두 같은 **오**각형	5	(모든 변의 길이의 합)÷5
여섯 변의 길이가 모두 같은 **육**각형	6	(모든 변의 길이의 합)÷6

활동 문제 주어진 도형의 한 변의 길이는 몇 cm인지 구하는 식을 찾아 선으로 잇고, ☐ 안에 알맞은 수를 써넣으세요.

세 변의 길이가 모두 같고,
모든 변의 길이의 합이
69 cm인 삼각형

네 변의 길이가 모두 같고,
모든 변의 길이의 합이
84 cm인 사각형

다섯 변의 길이가 모두 같고,
모든 변의 길이의 합이
60 cm인 오각형

여섯 변의 길이가 모두 같고,
모든 변의 길이의 합이
90 cm인 육각형

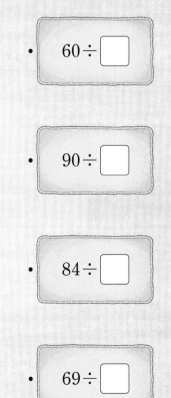

60÷☐

90÷☐

84÷☐

69÷☐

1-1 길이가 99 m인 도로의 한쪽에 같은 간격으로 처음부터 끝까지 가로등을 10개 세우려고 합니다. 가로등 사이의 간격은 몇 m인지 구해 보세요. (단, 가로등의 두께는 생각하지 않습니다.)

99 m

(   )

(가로등 사이의 간격 수)=(가로등 수)−1, (가로등 사이의 간격)=(도로의 길이)÷(가로등 사이의 간격 수)

1-2 길이가 60 m인 도로의 한쪽에 같은 간격으로 처음부터 끝까지 가로등을 5개 세우려고 합니다. 가로등 사이의 간격은 몇 m인지 풀이 과정을 완성하고 답을 구해 보세요.

(단, 가로등의 두께는 생각하지 않습니다.)

풀이 (가로등 사이의 간격 수)=(가로등 수)−□이므로

(가로등 사이의 간격 수)=□−□=□(군데)입니다.

➡ (가로등 사이의 간격)=60÷□=□(m)

답 _____

1-3 길이가 90 m인 도로의 양쪽에 같은 간격으로 처음부터 끝까지 가로등을 12개 세우려고 합니다. 가로등 사이의 간격은 몇 m인지 구해 보세요. (단, 가로등의 두께는 생각하지 않습니다.)

(1) 도로의 한쪽에 세우는 가로등은 몇 개일까요? (   )

(2) 도로의 한쪽에 세우는 가로등 사이의 간격은 몇 군데일까요?

(   )

(3) 가로등 사이의 간격은 몇 m일까요? (   )

2-1 초희가 도화지 위에 자를 이용하여 그린 네 변의 길이가 모두 같은 사각형입니다. 이 사각형의 모든 변의 길이의 합이 48 cm일 때 한 변의 길이는 몇 cm인지 구해 보세요.

네 변의 길이가 모두 같은 사각형은 정사각형이고 변은 모두 4개야.

(   )

- **구하려는 것**: 한 변의 길이
- **주어진 조건**: ① 네 변의 길이가 모두 같은 사각형 ② 사각형의 모든 변의 길이의 합이 48 cm
- **해결 전략**: (한 변의 길이)=(모든 변의 길이의 합)÷(사각형의 변의 수)

✎ 구하려는 것(〰〰)과 주어진 조건(──)에 표시해 봅니다.

2-2 다음은 다섯 변의 길이가 모두 같은 오각형입니다. 이 오각형의 모든 변의 길이의 합이 70 cm일 때 한 변의 길이는 몇 cm인지 구해 보세요.

▲ 해결 전략 ▲

(한 변의 길이)
=(모든 변의 길이의 합)÷(오각형의 변의 수)

(   )

2-3 세 변의 길이가 모두 같은 삼각형의 모든 변의 길이의 합은 93 cm이고, 여덟 변의 길이가 모두 같은 팔각형의 모든 변의 길이의 합은 80 cm입니다. 삼각형의 한 변의 길이와 팔각형의 한 변의 길이의 합은 몇 cm인지 구해 보세요.

(   )

1 코딩

시작에 48을 넣었을 때 나오는 수를 구해 보세요.

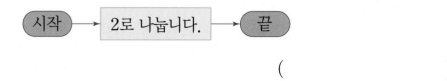

(   )

2 코딩

화살표의 약속에 따라 계산할 때 ㉠에 알맞은 수를 구해 보세요.

화살표의 약속	
→	÷3
↑	÷2

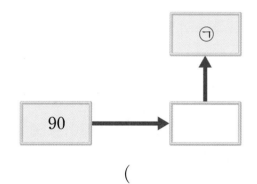

(   )

3 문제 해결

다음은 정사각형 2개를 겹치지 않게 이어 붙여서 만든 모양입니다. 굵은 선으로 표시된 부분의 길이가 90 cm일 때 정사각형의 한 변의 길이는 몇 cm인지 구해 보세요.

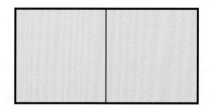

(   )

▶정답 및 해설 7쪽

4 창의 · 융합

자른 통나무 36도막을 똑같이 나누어 그림과 같이 울타리를 4개 만들려고 합니다. 자른 통나무는 같은 간격으로 처음부터 끝까지 사용하여 울타리를 1개 만들려고 합니다. 울타리 1개의 길이는 80 m일 때 자른 통나무 사이의 간격은 몇 m인지 구해 보세요.

(단, 자른 통나무의 두께는 생각하지 않습니다.)

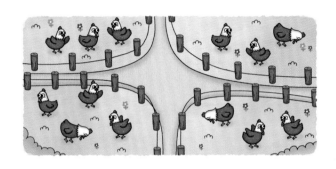

( )

5 문제 해결

다섯 변의 길이가 모두 같은 오각형과 여섯 변의 길이가 모두 같은 육각형을 그림과 같이 한 변이 서로 만나게 이어 붙였습니다. 오각형과 육각형의 한 변의 길이가 서로 같을 때 오각형의 모든 변의 길이의 합이 55 cm입니다. 육각형의 모든 변의 길이의 합은 몇 cm인지 구해 보세요.

( )

6 문제 해결

로마 숫자 2개를 한 번씩 사용하여 가장 큰 두 자리 수를 만들었습니다. 만든 두 자리 수를 3으로 나눈 몫은 얼마인지 구해 보세요.

	1	2	3	4	5	6	7	8	9
로마 숫자	I	II	III	IV	V	VI	VII	VIII	IX

( )

1 사다리를 타고 내려가서 계산 결과를 써 보세요. 창의·융합

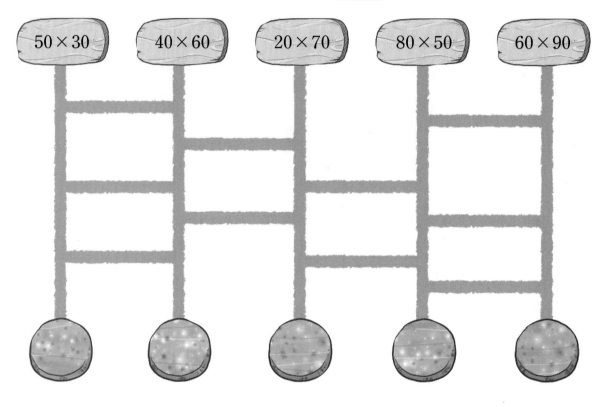

2 순서도에 따라 출력되는 값을 구해 보세요. 코딩

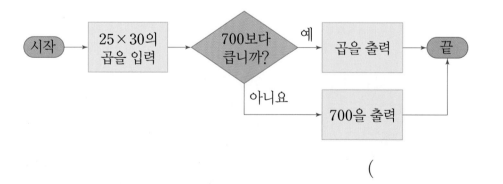

(   )

3 생쥐가 미로를 무사히 탈출하여 친구 집에 가려고 합니다. 친구와 만날 수 있도록 나눗셈의 몫을 찾아 선으로 이어 보세요. 창의·융합

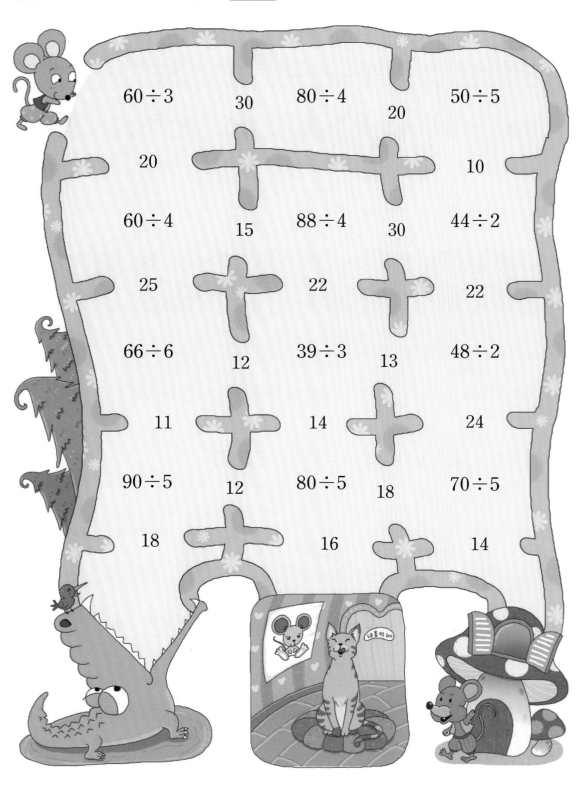

4 알맞은 오리알을 찾아 선으로 이어 보세요. 창의·융합

5 여러 음식의 열량입니다. 물음에 답하세요. 창의·융합

햄버거	치킨	감자 튀김	피자
1개 617 킬로칼로리	1조각 186 킬로칼로리	1봉지 285 킬로칼로리	1조각 390 킬로칼로리

① 피자를 2조각 먹으면 열량이 몇 킬로칼로리일까요?

(   )

② 치킨을 5조각 먹으면 열량이 몇 킬로칼로리일까요?

(   )

6 로마 숫자 4개를 한 번씩 사용하여 (두 자리 수)×(두 자리 수)의 곱셈식을 만들었습니다. 곱이 가장 큰 경우와 가장 작은 경우 계산 결과는 각각 얼마인지 구해 보세요. 문제 해결

Ⅷ   Ⅴ   Ⅲ   Ⅸ

	1	2	3	4	5	6	7	8	9
로마 숫자	Ⅰ	Ⅱ	Ⅲ	Ⅳ	Ⅴ	Ⅵ	Ⅶ	Ⅷ	Ⅸ

• 곱이 가장 큰 경우 (   )

• 곱이 가장 작은 경우 (   )

7 그림과 같이 도로의 한쪽에 같은 간격으로 처음부터 끝까지 나무를 심으려고 합니다. 물음에 답하세요. (단, 나무의 두께는 생각하지 않습니다.) 추론

① 나무 사이의 간격이 30 m이고 처음부터 끝까지 심은 나무가 41그루일 때 도로의 길이는 몇 m인지 구해 보세요.

(   )

② 도로의 길이가 77 m이고 처음부터 끝까지 심은 나무가 8그루일 때 나무 사이의 간격은 몇 m인지 구해 보세요.

(   )

8 어떤 수에 37을 곱해야 할 것을 잘못하여 더했더니 61이 되었습니다. 바르게 계산한 값은 얼마인지 구해 보세요. 문제해결

(　　　　　　　)

9 두 수를 넣으면 어떤 곱셈의 규칙에 따라 새로운 수가 나옵니다. 규칙을 찾아 ☐ 안에 알맞은 수를 써넣고, 나온 결과를 공에 써 보세요. 추론

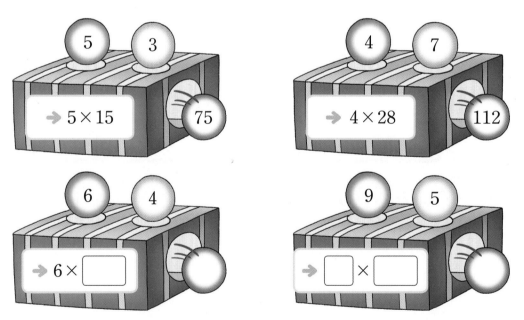

10 세 변의 길이가 모두 같은 삼각형의 각 변의 가운데를 연결하여 만든 삼각형만 빼고 색칠하는 규칙입니다. 처음 삼각형의 한 변의 길이가 80 cm일 때 물음에 답하세요. 창의·융합

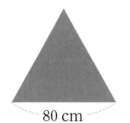
80 cm

첫 번째

두 번째

세 번째

❶ 네 번째에서 색칠한 삼각형은 몇 개인지 곱셈식을 완성하고 답을 구해 보세요.

식 ___ $3 \times \boxed{} = \boxed{}$ ___   답 _____

❷ 첫 번째에서 색칠한 삼각형 1개의 한 변의 길이는 몇 cm인지 나눗셈식을 완성하고 답을 구해 보세요.

식 ___ $80 \div \boxed{} = \boxed{}$ ___   답 _____

❸ 두 번째에서 색칠한 삼각형 1개의 한 변의 길이는 몇 cm인지 나눗셈식을 완성하고 답을 구해 보세요.

식 ___ $80 \div \boxed{} = \boxed{}$ ___   답 _____

❹ 세 번째에서 색칠한 삼각형 1개의 한 변의 길이는 몇 cm인지 나눗셈식을 완성하고 답을 구해 보세요.

식 ___ $80 \div \boxed{} = \boxed{}$ ___   답 _____

1 네 변의 길이가 모두 같은 사각형입니다. 네 변의 길이의 합은 몇 cm인지 구해 보세요.

132 cm

(   )

2 동물들의 다리 수는 모두 몇 개인지 곱셈식으로 각각 나타내어 구해 보세요.

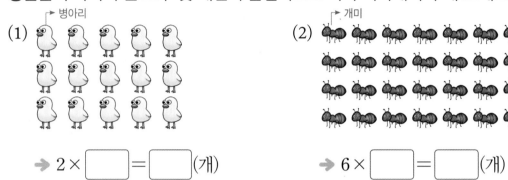

(1) → 병아리

➡ $2 \times \boxed{} = \boxed{}$ (개)

(2) → 개미

➡ $6 \times \boxed{} = \boxed{}$ (개)

3 세 변의 길이가 모두 같은 삼각형의 모든 변의 길이의 합은 69 cm입니다. 한 변의 길이는 몇 cm인지 구해 보세요.

(   )

4 길이가 125 mm인 색 테이프 5장을 5 mm씩 겹치게 이어 붙였습니다. 이어 붙인 색 테이프의 전체 길이는 몇 mm인지 구해 보세요.

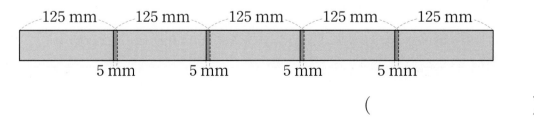

125 mm 125 mm 125 mm 125 mm 125 mm

5 mm 5 mm 5 mm 5 mm

(   )

[5~6] 수 카드 4장을 한 번씩 사용하여 (두 자리 수) × (두 자리 수)의 곱셈식을 만들었습니다. 곱이 가장 큰 경우와 가장 작은 경우 곱셈식을 만들고 곱을 구해 보세요.

5 곱이 가장 큰 (두 자리 수) × (두 자리 수) ➡

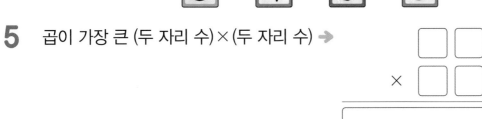

6 곱이 가장 작은 (두 자리 수) × (두 자리 수) ➡

7 어느 날 환율이 다음과 같을 때 우리나라 돈으로 얼마인지 ☐ 안에 알맞은 수를 써넣으세요.

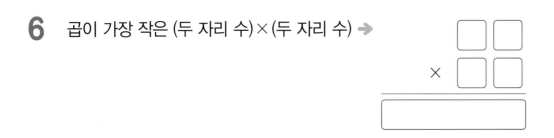

카자흐스탄 돈 10텡게 ＝ 우리나라 돈 26원

➡ (카자흐스탄 돈 500텡게) ＝ (카자흐스탄 돈 10텡게) × ☐

＝ (우리나라 돈 ☐ 원) × ☐

＝ ☐ × ☐ ＝ ☐ (원)

8 어떤 수에 5를 곱해야 할 것을 잘못하여 뺐었더니 128이 되었습니다. 바르게 계산한 값은 얼마인지 구해 보세요.

( )

2주에는 무엇을 공부할까? ❶

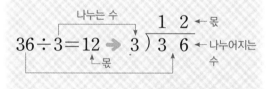

만화로 미리 보기

박지성 선수는 두 개의 심장이 있다고 할 정도로 체력이 뛰어났어.

그게 왜?

나는 세 개의 심장을 가지고 싶어.

원 모양의 운동장을 뛰면 강한 체력을 얻을 수 있다구!

그럼 나는 운동장의 중심에서 네가 뛰는 것을 지켜볼게.

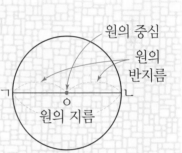

원의 중심
원의 반지름
원의 지름

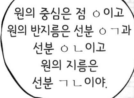

원의 중심은 점 ㅇ이고 원의 반지름은 선분 ㅇㄱ과 선분 ㅇㄴ이고 원의 지름은 선분 ㄱㄴ이야.

원의 중심?

아! 그렇군.

그럼 열심히 뛰자! 하나! 둘! 하나! 둘!

힘내라.

헥… 헥… 축구 선수 포기~

크! 한 바퀴 돌고 포기하네.

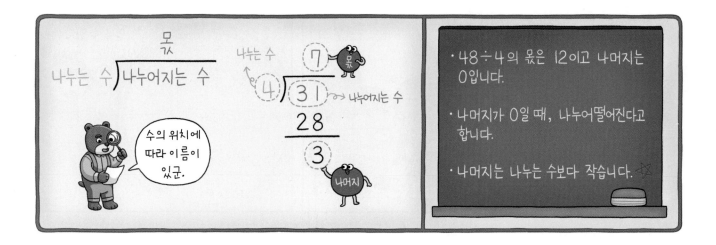

확인 문제

1-1 계산해 보세요.

(1) $26 \div 2 =$ ☐

(2) $42 \div 3 =$ ☐

(3) $175 \div 5 =$ ☐

한번 더

1-2 계산해 보세요.

(1) $38 \div 3 =$ ☐ … ☐

(2) $53 \div 4 =$ ☐ … ☐

(3) $159 \div 6 =$ ☐ … ☐

2-1 빈 곳에 알맞은 수를 써넣으세요.

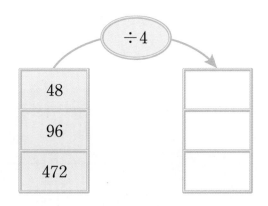

2-2 빈 곳에 알맞은 수를 써넣으세요.

$\div$		몫	나머지
87	7		
95	8		
580	9		

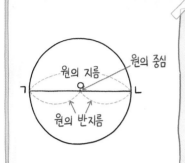

① 지름은 원을 똑같이 둘로 나눕니다.
② 지름은 원 안에 그을 수 있는 가장 긴 선분입니다.
③ 지름은 무수히 많이 그을 수 있습니다.
④ (원의 지름)=(원의 반지름)×2
⑤ (원의 반지름)=(원의 지름)÷2

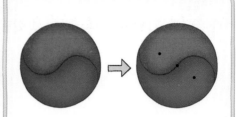

태극기의 태극 모양을 그릴 때 이용한 원의 중심은 3개입니다.

확인 문제

한번 더

3-1 원의 지름은 몇 cm인지 구해 보세요.

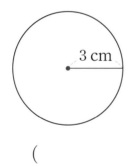
3 cm

( )

3-2 원의 반지름은 몇 cm인지 구해 보세요.

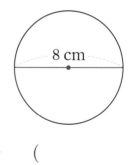
8 cm

( )

4-1 원을 그린 규칙을 알아보세요.

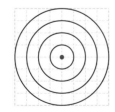

원의 중심은 같고, 원의 반지름은 모눈 ☐칸씩 늘려가면서 원을 그렸습니다.

4-2 원을 그린 규칙을 알아보세요.

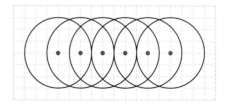

원의 중심은 오른쪽으로 모눈 ☐칸씩 이동하고, 원의 반지름은 모눈 ☐칸으로 변하지 않으면서 원을 그렸습니다.

1 수 카드로 만든 나눗셈식의 가장 큰(작은) 몫

예 수 카드 **3**, **2**, **5** 를 한 번씩 사용하여 만든 (두 자리 수)÷(한 자리 수)의 몫 구하기

➜ ① (두 자리 수)÷(한 자리 수)의 몫이 가장 크려면

    (가장 큰 두 자리 수)÷(가장 작은 한 자리 수)의 몫을 구합니다.

    5>3>2이므로 53÷2=26…1입니다.

② (두 자리 수)÷(한 자리 수)의 몫이 가장 작으려면

    (가장 작은 두 자리 수)÷(가장 큰 한 자리 수)의 몫을 구합니다.

    2<3<5이므로 23÷5=4…3입니다.

활동 문제   주머니 속의 구슬에 써 있는 수를 한 번씩 사용하여 (두 자리 수)÷(한 자리 수)의 나눗셈식을 각각 만들어 보세요.

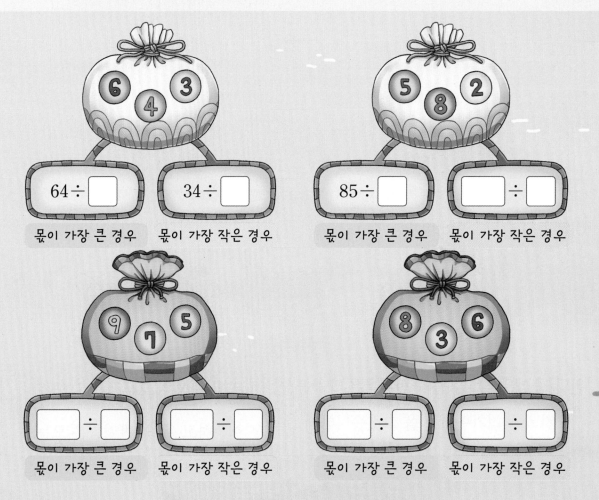

64÷□   34÷□

몫이 가장 큰 경우   몫이 가장 작은 경우

85÷□   □÷□

몫이 가장 큰 경우   몫이 가장 작은 경우

□÷□   □÷□

몫이 가장 큰 경우   몫이 가장 작은 경우

□÷□   □÷□

몫이 가장 큰 경우   몫이 가장 작은 경우

▶ 정답 및 해설 9쪽

2 똑같이 나누어 담을 때 더 필요한 최소한의 과일 수

| 과일 수와
상자 수를
알아보자. | → | (과일 수)÷(상자 수)
의 몫과 나머지
구하기 | → | (더 필요한 최소한의 과일 수)
=(상자 수)−(나머지) |

[예] 사과 79개를 남는 것 없이 상자 6개에 똑같이 나누어 담을 때 상자 6개에 같은 수의 사과가 들어가려면 더 필요한 최소한의 사과 수 구하기

➡ 79÷6=13…1이므로 더 필요한 최소한의 사과는 6−1=5(개)입니다.

[확인] 79+5=84(개) ➡ 84÷6=14(개)

[활동] [문제] 과일 수가 다음과 같을 때 바구니에 똑같이 나누어 담으려고 합니다. 바구니에 같은 수의 과일이 들어가도록 나눗셈식을 완성하고 더 필요한 최소한의 과일 수를 각각 구해 보세요.

1

 54개

바구니 7개에 똑같이 나누어 담기

➡ [나눗셈식] 54÷7=☐…☐

(더 필요한 최소한의 귤 수)

=7−☐=☐(개)

2

 77개

바구니 8개에 똑같이 나누어 담기

➡ [나눗셈식] 77÷8=☐…☐

(더 필요한 최소한의 배 수)

=☐−☐=☐(개)

3

 68개

바구니 5개에 똑같이 나누어 담기

➡ [나눗셈식] 68÷☐=☐…☐

(더 필요한 최소한의 사과 수)

=☐−☐=☐(개)

1-1 수 카드 3장을 한 번씩 사용하여 (두 자리 수)÷(한 자리 수)의 나눗셈식을 만들었습니다. 몫이 가장 큰 나눗셈식을 만들고 그때의 몫을 구해 보세요.

$$\boxed{4} \quad \boxed{6} \quad \boxed{5} \quad \rightarrow \quad \boxed{} \div \boxed{} = \boxed{} \cdots \boxed{}$$

(   )

(가장 큰 두 자리 수)÷(가장 작은 한 자리 수)의 몫을 구합니다.

1-2 수 카드 3장을 한 번씩 사용하여 (두 자리 수)÷(한 자리 수)의 나눗셈식을 만들었습니다. 몫이 가장 작은 나눗셈식을 만들고 그때의 몫을 구해 보세요.

$$\boxed{8} \quad \boxed{3} \quad \boxed{4}$$

(1) 수 카드의 수를 작은 수부터 차례로 써 보세요.

$$\boxed{} < \boxed{} < \boxed{}$$

(2) 몫이 가장 작은 나눗셈식을 만들고 그때의 몫을 구해 보세요.

나눗셈식 $\boxed{} \div \boxed{} = \boxed{} \cdots \boxed{}$ 몫 _____

1-3 수 카드 4장 중 3장을 골라 한 번씩 사용하여 (두 자리 수)÷(한 자리 수)의 나눗셈식을 만들었습니다. 몫이 가장 큰 나눗셈식을 만들고 그때의 몫을 구해 보세요.

$$\boxed{7} \quad \boxed{4} \quad \boxed{3} \quad \boxed{6}$$

나눗셈식 _____   몫 _____

2-1 오늘 과일 가게에서 새로 들어온 복숭아 46개를 남는 것 없이 상자 6개에 똑같이 나누어 담으려고 합니다. 상자 6개에 같은 수의 복숭아가 들어가려면 더 필요한 최소한의 복숭아는 몇 개인지 구해 보세요.

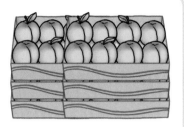

(   )

- 구하려는 것: 더 필요한 최소한의 복숭아 수
- 주어진 조건: 복숭아 46개를 남는 것 없이 상자 6개에 똑같이 나누어 담기
- 해결 전략: ❶ 46÷6의 몫과 나머지를 계산하기
  ❷ (상자 수)−(나머지)를 계산하기

✎ 구하려는 것(〰〰)과 주어진 조건(───)에 표시해 봅니다.

2-2 과일 가게에서 새로 들어온 자두 60개를 남는 것 없이 봉지 9개에 똑같이 나누어 담으려고 합니다. 봉지 9개에 같은 수의 자두가 들어가려면 더 필요한 최소한의 자두는 몇 개인지 구해 보세요.

> **해결 전략**
> ❶ 60÷9의 몫과 나머지를 계산하기
> ❷ (봉지 수)−(나머지)를 계산하기

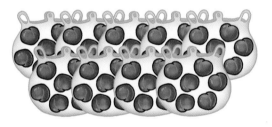

(   )

2-3 과일 가게에서 새로 들어온 감 73개를 남는 것 없이 상자 4개에 똑같이 나누어 담으려고 합니다. 상자 4개에 같은 수의 감이 들어가려면 더 필요한 최소한의 감은 ㉠개이고 상자 1개에 담은 감은 ㉡개입니다. ㉠+㉡의 값을 구해 보세요.

(   )

1

추론

나머지가 5가 나올 수 <u>없는</u> 식을 찾아 기호를 써 보세요.

㉠ ■ ÷ 7   ㉡ ▲ ÷ 5   ㉢ ● ÷ 6

(   )

2

문제 해결

수 카드 4장 중 3장을 골라 한 번씩 사용하여 (두 자리 수)÷(한 자리 수)의 나눗셈식을 만들었습니다. 몫이 가장 작은 나눗셈식을 만들었을 때의 몫을 구해 보세요.

(   )

3

창의 · 융합

4종류의 공이 다음 수와 같이 있을 때 모든 공을 남는 것 없이 상자 7개에 똑같이 나누어 담으려고 합니다. 상자 7개에 같은 수의 공이 들어가려면 더 필요한 최소한의 공은 몇 개인지 구해 보세요.

22개   17개   38개   19개

(   )

4
문제 해결

공 5개 중 3개를 골라 공에 써 있는 수를 한 번씩 사용하여 (두 자리 수)÷(한 자리 수)의 나눗셈식을 만들었습니다. 몫이 가장 큰 나눗셈식을 만들었을 때의 몫을 구해 보세요.

(   )

 5
문제 해결

다음을 읽고 ㉠＋㉡의 값을 구해 보세요. (단, 연필 1타는 12자루입니다.)

> 연필 8타를 학생 5명에게 최대한 많은 수로 똑같이 나누어 주면 남는 연필은 ㉠개입니다.

> 연필 5타를 남는 것 없이 학생 7명에게 똑같이 나누어 줄 때 학생 7명이 같은 수의 연필을 가지려면 더 필요한 최소한의 연필은 ㉡개입니다.

(   )

6
창의 · 융합

이집트 숫자 5개 중 3개를 골라 한 번씩 사용하여 (두 자리 수)÷(한 자리 수)의 나눗셈식을 만들었습니다. 몫이 가장 클 때와 가장 작을 때의 몫의 차를 구해 보세요.

	1	2	3	4	5	6	7	8	9
이집트 숫자	١	٢	٣	٤	٥	٦	٧	٨	٩

(   )

1 나누어지는 수 구하기

나누어지는 수를
□라 하여
나눗셈식을 만들자.

→

나누는 수와
몫의 곱에
나머지를 더한다.

나눗셈을 맞게
계산했는지 확인하는
방법이야.

예 어떤 수를 5로 나누었더니 몫이 23이고 나머지가 4일 때 어떤 수 구하기

→ 어떤 수를 □라 하면 □÷5=23…4입니다.

확인 5×23=115, 115+4=119, □=119

활동 문제 어떤 수를 ■라 할 때 나눗셈식을 보고 나눗셈을 맞게 계산했는지 확인하는 식을 이용하여 ■의 값을 구해 보세요.

① [나눗셈식] ■÷4=17…3 → [확인] □×17=□, □+3=□

[어떤 수] ■=□

② [나눗셈식] ■÷3=24…2 → [확인] □×24=□, □+2=□

[어떤 수] ■=□

③ [나눗셈식] ■÷6=13…5 → [확인] □×13=□, □+5=□

[어떤 수] ■=□

▶정답 및 해설 10쪽

2 어떤 수를 구하여 바르게 계산하기

어떤 수를 □라 하자.	→	잘못 계산한 식을 만들자.	→	□의 값을 구하자.	→	바르게 계산하자.

예 어떤 수를 4로 나누어야 할 것을 잘못하여 뺐더니 54가 되었습니다. 바르게 계산했을 때의 몫과 나머지 구하기

→ 덧셈과 뺄셈의 관계

[잘못 계산한 식] $\boxed{} ⊖ 4 = 54$ → [$\boxed{}$의 값] $54 + 4 = \boxed{}$, $\boxed{} = 58$

[바르게 계산한 식] $\boxed{} ÷ 4$ → [바르게 계산] $58 ÷ 4 = 14 ⋯ 2$

활동 문제 어떤 수를 ■라 할 때 잘못 계산한 식을 완성하여 ■의 값을 구하고 바르게 계산한 식을 완성해 보세요.

① 어떤 수를 5로 나누어야 할 것을 잘못하여 더했더니 32가 되었습니다. 바르게 계산한 식을 구해 보세요.

→

[잘못 계산한 식] ■ + $\boxed{}$ = 32

[어떤 수] 32 − $\boxed{}$ = ■,

■ = $\boxed{}$

[바르게 계산한 식] ■ ÷ $\boxed{}$

② 어떤 수를 3으로 나누어야 할 것을 잘못하여 곱했더니 84가 되었습니다. 바르게 계산한 식을 구해 보세요.

→

[잘못 계산한 식] ■ × $\boxed{}$ = $\boxed{}$

[어떤 수] $\boxed{}$ ÷ $\boxed{}$ = ■,

■ = $\boxed{}$

[바르게 계산한 식] ■ ÷ $\boxed{}$

1-1 어떤 수를 3으로 나누었더니 몫이 48이고 나머지가 1이었습니다. 어떤 수는 얼마인지 구해 보세요.

(   )

$$■ \div ▲ = ● \cdots ★ \;\rightarrow\; ▲ \times ● = ◇,\; ◇ + ★ = ■$$

1-2 어떤 수를 7로 나누었더니 몫이 35이고 나머지가 6이었습니다. 어떤 수는 얼마인지 풀이 과정을 완성하고 답을 구해 보세요.

풀이 어떤 수를 ■라 하면 나눗셈식은 ■ ÷ 7 = ☐ …6입니다.

나눗셈을 맞게 계산했는지 확인하는 식을 이용하면

$7 \times$ ☐ $=$ ☐ , ☐ $+ 6 = ■,\; ■ =$ ☐ 입니다.

따라서 어떤 수는 ☐ 입니다.

답 _____

1-3 어떤 수를 5로 나누었더니 몫이 24이고 나머지가 2이었습니다. 어떤 수는 얼마인지 구해 보세요.

(   )

1-4 사탕을 한 명에게 9개씩 나누어 주었더니 17명에게 나누어 주고 5개가 남았습니다. 나누어 주기 전의 사탕은 몇 개인지 구해 보세요.

(   )

2-1 민혁이는 어떤 수를 4로 나누어야 할 것을 잘못하여 곱했더니 292가 되었습니다. 바르게 계산했을 때의 몫과 나머지는 각각 얼마인지 구해 보세요.

어떤 수 먼저?

몫 (　　　　　)

나머지 (　　　　　)

- 구하려는 것: 바르게 계산했을 때의 몫과 나머지
- 주어진 조건: 어떤 수를 4로 나누어야 할 것을 잘못하여 곱했더니 292가 됨
- 해결 전략: ❶ 어떤 수를 □라 하여 □를 구하는 식 세우기 ➡ □×4＝292
  　　　　　❷ 곱셈과 나눗셈의 관계를 이용하여 □의 값 구하기
  　　　　　❸ 바르게 계산했을 때의 몫과 나머지를 구하는 식 ➡ □÷4

✎ 구하려는 것(～～)과 주어진 조건(——)에 표시해 봅니다.

2-2 어떤 수를 3으로 나누어야 할 것을 잘못하여 곱했더니 582가 되었습니다. 바르게 계산했을 때의 몫과 나머지는 각각 얼마인지 구해 보세요.

> **해결 전략**
> ❶ 잘못 계산한 식을 세워 어떤 수 구하기
> ❷ 바르게 계산했을 때의 몫과 나머지 구하기

몫 (　　　　　), 나머지 (　　　　　)

2-3 어떤 수를 8로 나누어야 할 것을 잘못하여 6으로 나누었더니 몫이 75이고 나머지가 3이 되었습니다. 바르게 계산했을 때의 몫과 나머지는 각각 얼마인지 구해 보세요.

몫 (　　　　　), 나머지 (　　　　　)

1 코딩

시작에 어떤 수를 넣었을 때 나오는 몫은 37이고 나머지는 4입니다. 어떤 수를 구해 보세요.

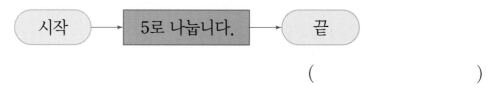

(   )

2 문제 해결

어떤 수를 4로 나누어야 할 것을 잘못하여 9로 나누었더니 몫이 87이고 나머지가 8이 되었습니다. 바르게 계산했을 때의 몫과 나머지의 합은 얼마인지 구해 보세요.

(   )

3 추론

올해 어린이날은 일요일입니다. 내년 어린이날은 무슨 요일인지 구해 보세요.

(단, 내년 2월은 29일까지 있습니다.)

5월

일	월	화	수	목	금	토
			1	2	3	4
5	6	7	8	9	10	11
12	13	14	15	16	17	18
19	20	21	22	23	24	25
26	27	28	29	30	31	

(   )

▶정답 및 해설 11쪽

4 문제 해결

어떤 수를 7로 나누었더니 몫이 38이었습니다. 어떤 수가 될 수 있는 수 중 가장 작은 수와 가장 큰 수의 합은 얼마인지 구해 보세요.

(   )

5 코딩

보기 의 화살표 규칙에 따라 어떤 수를 넣었더니 ㉠에 나오는 몫은 45이고 나머지는 5였습니다. 어떤 수는 얼마인지 구해 보세요.

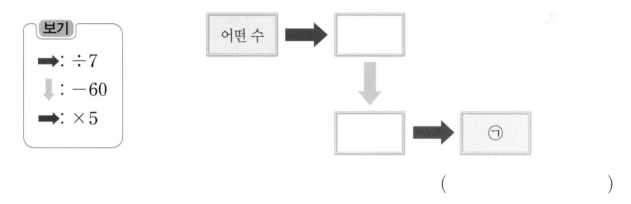

(   )

6 문제 해결

연필 몇 타를 학생 9명에게 똑같이 나누어 주었더니 한 학생에게 연필을 13자루씩 나누어 주고 남는 연필은 3자루입니다. 나누어 주기 전의 연필은 몇 타인지 구해 보세요.

(단, 연필 1타는 12자루입니다.)

(   )

1 지름의 성질

한 원에서 지름을 몇 개나 그을 수 있죠?	원 안에서 그을 수 있는 가장 긴 선분은 어디를 지나죠?	원을 똑같이 둘로 나누는 방법은 뭐죠?
지름과 반지름은 무수히 많이 그을 수 있습니다.	지름이 가장 긴 선분으로 원의 중심을 지납니다.	지름으로 나누면 원을 똑같이 둘로 나눌 수 있습니다.

활동 문제 동물들의 위치를 원 위에 점으로 나타냈습니다. 두 동물 사이의 거리는 두 점을 이은 선분의 길이와 같을 때 두 동물 사이의 거리가 가장 먼 것끼리 짝을 지어 보세요.

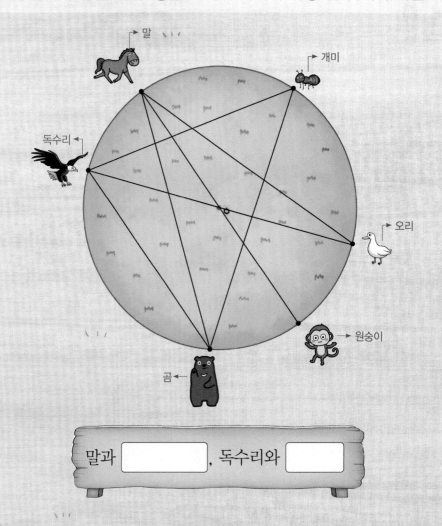

말과 [ ], 독수리와 [ ]

2 반지름과 지름의 관계

| 반지름을 알 때 | ➡ | (지름) =(반지름)×2 | 지름을 알 때 | ➡ | (반지름) =(지름)÷2 |

예 원의 반지름이 4 cm일 때 지름 구하기

➔ (지름)=(반지름)×2이므로 (지름)=4×2=8 (cm)입니다.

원의 지름이 4 cm일 때 반지름 구하기

➔ (반지름)=(지름)÷2이므로 (반지름)=4÷2=2 (cm)입니다.

활동 문제 택배를 배달하려고 합니다. 크기가 같은 원을 찾아 선으로 이어 보세요.

반지름이 2 cm인 원　반지름이 6 cm인 원　반지름이 5 cm인 원　반지름이 3 cm인 원　반지름이 7 cm인 원

지름이 10 cm인 원　지름이 14 cm인 원　지름이 12 cm인 원　지름이 4 cm인 원　지름이 6 cm인 원

1-1 원 안에 그을 수 있는 가장 긴 선분을 2개 그어 보세요.

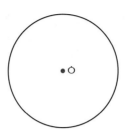

원 안에 그을 수 있는 가장 긴 선분은 지름입니다.

1-2 원 안에 선분을 3개 그었습니다. 그은 3개의 선분을 보고 가장 긴 선분이 되도록 하려면 어떻게 그어야 하는지 설명해 보세요.

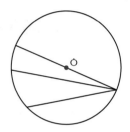

설명 _____

_____

1-3 원 안에 그은 선분은 가장 긴 선분이 아닙니다. 그 이유를 써 보세요.

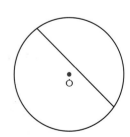

이유 _____

_____

2-1 장혁이는 원의 중심이 점 ㄱ이고 지름이 24 cm인 큰 원을 그렸습니다. 큰 원의 지름을 그은 후 원의 중심이 점 ㄴ이고 큰 원과 만나면서 점 ㄱ을 지나는 작은 원을 그렸습니다. 작은 원의 반지름은 몇 cm인지 구해 보세요.

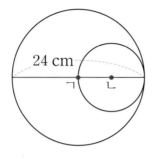

반지름과 지름의 관계를 이용하여 풀도록 해.

(   )

- 구하려는 것: 작은 원의 반지름
- 주어진 조건: 큰 원의 지름이 24 cm, 큰 원과 작은 원의 위치
- 해결 전략: ❶ (큰 원의 반지름)=(큰 원의 지름)÷2
  ❷ (작은 원의 지름)=(큰 원의 반지름)
  ❸ (작은 원의 반지름)=(작은 원의 지름)÷2

✎구하려는 것(〰〰)과 주어진 조건(──)에 표시해 봅니다.

2-2 원의 중심이 점 ㄱ이고 지름이 32 cm인 큰 원을 그렸습니다. 큰 원의 지름을 그은 후 원의 중심이 점 ㄴ이고 큰 원과 만나면서 점 ㄱ을 지나는 작은 원을 그렸습니다. 작은 원의 반지름은 몇 cm인지 구해 보세요.

해결 전략
❶ 큰 원의 반지름 구하기
❷ 작은 원의 지름 구하기
❸ 작은 원의 반지름 구하기

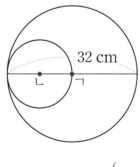

(   )

1 글을 읽고 알맞은 길로 이동하여 식물원을 빠져나가 보세요. 그리고 원 모양의 종이에서 원의 중심을 찾는 방법을 설명해 보세요.

창의 · 융합

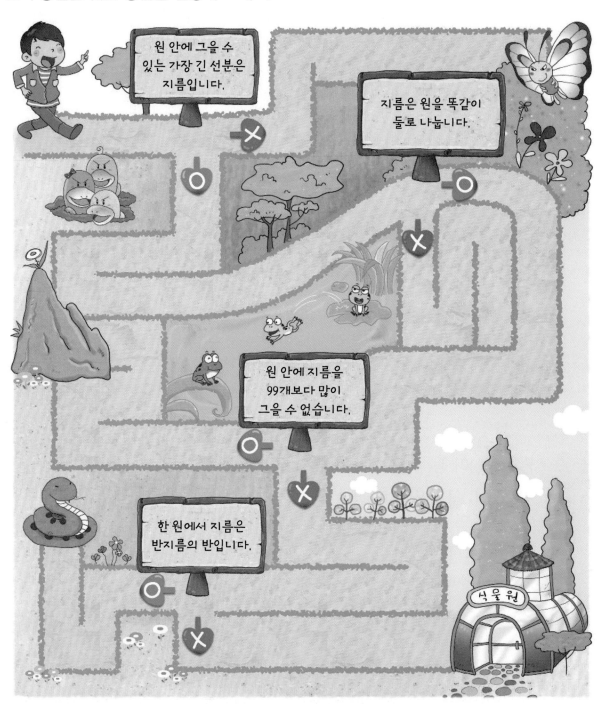

원의 중심을 찾는 방법

_____

_____

2
창의·융합

가장 큰 원이 써 있는 종이를 들고 있는 여학생의 이름을 찾아 써 보세요.

연경   경은   영아   가은

반지름이
13 cm인 원

지름이
28 cm인 원

반지름이
15 cm인 원

지름이
27 cm인 원

(   )

3
문제 해결

원의 중심이 점 ㄱ이고 반지름이 6 cm인 작은 원을 그렸습니다. 작은 원의 지름을 연장한 후 원의 중심이 점 ㄴ이고 작은 원과 만나는 큰 원을 그렸습니다. 큰 원의 지름은 몇 cm인지 구해 보세요.

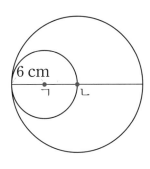

(   )

4
문제 해결

지름이 54 cm인 큰 원을 그렸습니다. 큰 원의 지름 위에 원의 중심 3개가 있고 크기가 같은 작은 원 3개를 큰 원 안에 그렸습니다. 작은 원의 반지름은 몇 cm인지 구해 보세요.

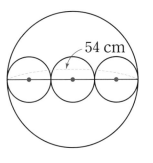

(   )

1 삼각형의 세 변의 길이의 합

크기가 같은 원 2개를 서로 원의 중심인 점 ㄴ과 점 ㄷ을 지나도록 겹친 후 만든 삼각형 ㄱㄴㄷ의 세 변의 길이의 합 구하기

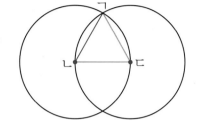

➡ (변 ㄱㄴ)=(원의 반지름), (변 ㄴㄷ)=(원의 반지름),
　(변 ㄷㄱ)=(원의 반지름)이므로
　삼각형 ㄱㄴㄷ은 세 변의 길이가 모두 같습니다.
　(삼각형 ㄱㄴㄷ의 세 변의 길이의 합)=(원의 반지름)×3

활동 문제 크기가 같은 원 2개를 서로 원의 중심인 점 ㄴ과 점 ㄷ을 지나도록 겹친 후 삼각형 ㄱㄴㄷ을 만들었습니다. 원의 반지름이 다음과 같을 때 만든 삼각형 ㄱㄴㄷ의 세 변의 길이의 합을 찾아 선으로 이어 보세요.

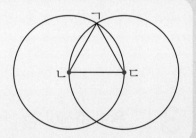

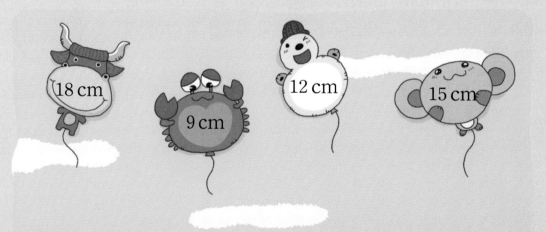

| 원의 반지름
: 3 cm | 원의 반지름
: 5 cm | 원의 반지름
: 6 cm | 원의 반지름
: 4 cm |

2 정사각형의 네 변의 길이의 합

정사각형 안에 가장 큰 원을 그렸을 때 정사각형의 네 변의 길이의 합 구하기

→ (정사각형의 한 변의 길이)=(원의 지름)=(원의 반지름)×2

(정사각형의 네 변의 길이의 합)=(정사각형의 한 변의 길이)×4

=(원의 지름)×4

=(원의 반지름)×8

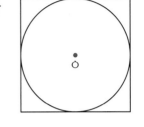

활동 문제 정사각형 안에 가장 큰 원을 그렸을 때 정사각형의 네 변의 길이의 합을 들고 있는 학생을 찾아 선으로 이어 보세요.

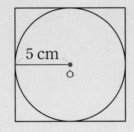
5 cm

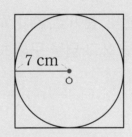
7 cm

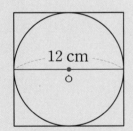
12 cm

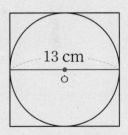
13 cm

52 cm

40 cm

48 cm

56 cm

1-1 크기가 같은 원 2개를 서로 원의 중심인 점 ㄱ과 점 ㄷ을 지나도록 겹친 후 삼각형 ㄱㄴㄷ을 만들었습니다. 만든 삼각형 ㄱㄴㄷ의 세 변의 길이의 합이 42 cm일 때 원의 반지름은 몇 cm인지 구해 보세요.

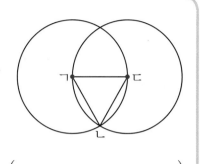

( )

> 삼각형 ㄱㄴㄷ에서 모든 변의 길이는 원의 반지름과 같습니다.

1-2 크기가 같은 원 2개를 서로 원의 중심인 점 ㄴ과 점 ㄷ을 지나도록 겹친 후 삼각형 ㄱㄴㄷ을 만들었습니다. 만든 삼각형 ㄱㄴㄷ의 세 변의 길이의 합이 75 cm일 때 원의 반지름은 몇 cm인지 식을 쓰고 답을 구해 보세요.

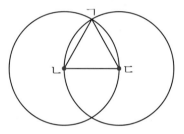

식 _____

답 _____

1-3 크기가 같은 원 3개를 맞닿게 그린 후 원의 중심을 이어 삼각형 ㄱㄴㄷ을 만들었습니다. 만든 삼각형 ㄱㄴㄷ의 세 변의 길이의 합이 84 cm일 때 원의 반지름은 몇 cm인지 구해 보세요.

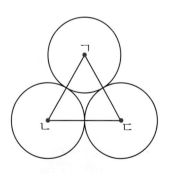

( )

2-1 상혁이는 정사각형 안에 가장 큰 원을 그렸습니다. 정사각형의 네 변의 길이의 합이 60 cm일 때 원의 지름은 몇 cm인지 구해 보세요.

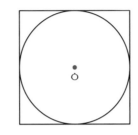

정사각형의 한 변의 길이와 원의 지름이 같구나.

(   )

- 구하려는 것: 원의 지름
- 주어진 조건: 정사각형 안에 가장 큰 원을 그림, 정사각형의 네 변의 길이의 합이 60 cm임
- 해결 전략: ❶ (원의 지름)=(정사각형의 한 변의 길이)
            ❷ (정사각형의 한 변의 길이)=(정사각형의 네 변의 길이의 합)÷4

✎ 구하려는 것(∼∼)과 주어진 조건(──)에 표시해 봅니다.

2-2 정사각형 안에 가장 큰 원을 그렸습니다. 정사각형의 네 변의 길이의 합이 76 cm일 때 원의 지름은 몇 cm인지 구해 보세요.

해결 전략
❶ 정사각형의 한 변의 길이 구하기
❷ 원의 지름 구하기

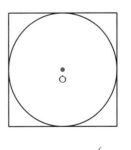

(   )

2-3 직사각형 ㄱㄴㄷㄹ 안에 크기가 같은 두 원을 맞닿게 그렸습니다. 직사각형의 네 변의 길이의 합이 96 cm일 때 원의 지름은 몇 cm인지 구해 보세요.

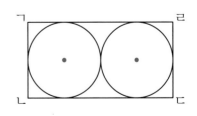

(   )

1 문제 해결 지름이 16 cm인 원에 선분 ㄱㄴ의 길이가 10 cm가 되도록 선을 그어 삼각형 ㅇㄱㄴ을 만들었습니다. 만든 삼각형 ㅇㄱㄴ의 세 변의 길이의 합은 몇 cm인지 구해 보세요.

( )

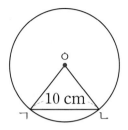

2 문제 해결 크기가 같은 원 4개를 맞닿게 그린 후 원의 중심을 이어 사각형 ㄱㄴㄷㄹ을 만들었습니다. 원의 지름이 9 cm일 때 사각형 ㄱㄴㄷㄹ의 네 변의 길이의 합은 몇 cm인지 구해 보세요.

( )

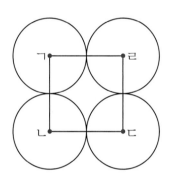

3 문제 해결 크기가 같은 원 2개를 서로 원의 중심인 점 ㄴ과 점 ㄹ을 지나도록 겹친 후 사각형 ㄱㄴㄷㄹ을 만들었습니다. 만든 사각형 ㄱㄴㄷㄹ의 네 변의 길이의 합이 68 cm일 때 원의 반지름은 몇 cm인지 구해 보세요.

( )

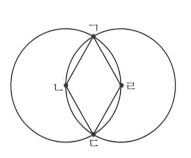

▶정답 및 해설 13쪽

4 창의·융합

지름이 각각 95 cm, 67 cm인 원 모양의 훌라후프 2개를 겹친 후 사각형 ㄱㄴㄷㄹ을 만들었습니다. 만든 사각형 ㄱㄴㄷㄹ의 네 변의 길이의 합은 몇 cm인지 구해 보세요.

(단, 점 ㄴ과 점 ㄹ은 원의 중심입니다.)

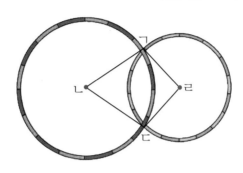

(   )

5 창의·융합

10원짜리 동전의 지름은 18 mm, 100원짜리 동전의 지름은 24 mm입니다. 10원짜리 동전 2개와 100원짜리 동전 1개를 맞닿게 그린 후 원의 중심을 이어 삼각형 ㄱㄴㄷ을 만들었습니다. 만든 삼각형 ㄱㄴㄷ의 세 변의 길이의 합을 들고 있는 학생의 이름을 써 보세요.

(   )

1 컴퍼스의 침을 꽂는 곳

모양			
원의 중심	1개	3개	4개
그린 원	3개	3개	4개
컴퍼스의 침을 꽂는 곳	1군데	3군데	4군데

(컴퍼스의 침을 꽂는 곳의 수)=(원의 중심의 수)

활동 문제   먹깨비들이 그린 모양을 그리려면 컴퍼스의 침을 꽂아야 할 곳은 몇 군데인지 알맞게 써 있는 음식을 찾아 선으로 이어 보세요.

2 그린 모양에서 규칙 찾기

① 원의 중심: 그대로인지 아니면 상하좌우 어느 쪽으로 이동하는지 알아봅니다.

② 원의 반지름: 그대로인지 아니면 얼마만큼 커지거나 작아지는지 알아봅니다.

모양		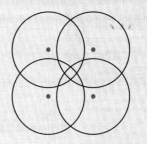
원의 중심	그대로	오른쪽으로 원의 지름만큼 이동
원의 반지름	가장 작은 원의 반지름만큼 커짐	그대로

활동 문제 규칙에 따라 원을 그린 모양입니다. 어떤 것이 변하는지 선으로 이어 보세요.

원의 중심이 변함   원의 반지름이 변함

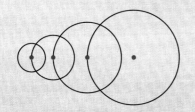

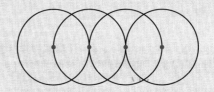

1-1 다음 모양을 그리기 위해 컴퍼스의 침을 꽂아야 할 곳은 몇 군데인지 구해 보세요.

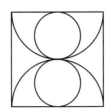

원의 중심을 먼저 찾아라.

(   )

컴퍼스의 침을 꽂아야 할 곳은 원의 중심과 같습니다.

1-2 다음 모양을 그리기 위해 컴퍼스의 침을 꽂아야 할 곳은 몇 군데인지 구해 보세요.

(1) 원의 중심은 몇 개인지 구해 보세요.

(   )

(2) 컴퍼스의 침을 꽂아야 할 곳은 몇 군데인지 구해 보세요.

(   )

1-3 다음 모양을 그리기 위해 컴퍼스의 침을 꽂아야 할 곳은 모두 몇 군데인지 구해 보세요.

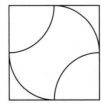 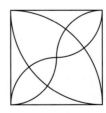

(   )

▶정답 및 해설 14쪽

2-1 가은이는 모눈종이에 컴퍼스를 사용하여 규칙에 따라 원을 3개 그렸습니다. 가은이가 그린 규칙에 따라 원을 1개 더 그려 보세요.

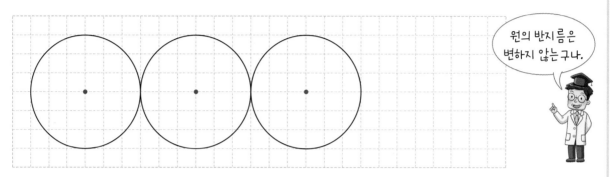

원의 반지름은 변하지 않는구나.

- 구하려는 것: 규칙에 따라 원을 1개 더 그리기
- 주어진 조건: 규칙에 따라 그린 원 3개
- 해결 전략: ❶ 원의 중심이 오른쪽으로 모눈 6칸 이동함
  ❷ 원의 반지름은 변하지 않음

✎ 구하려는 것(～～)과 주어진 조건(——)에 표시해 봅니다.

2-2 모눈종이에 컴퍼스를 사용하여 규칙에 따라 원을 3개 그렸습니다. 그린 규칙을 쓰고, 규칙에 따라 원을 1개 더 그려 보세요.

해결 전략

❶ 원의 중심이 오른쪽으로 모눈 2칸씩 늘어나면서 이동함
❷ 원의 반지름이 모눈 1칸씩 늘어남

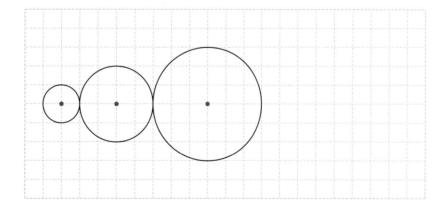

규칙 _____

_____

_____

1

창의 · 융합

핸드폰의 주파수를 송수신하는 기지국의 주파수 영역을 그림으로 나타낸 것입니다. 기지국의 위치는 컴퍼스의 침을 꽂는 곳이라고 할 때 같은 모양을 그리기 위해 컴퍼스의 침을 꽂아야 할 곳은 몇 군데인지 구해 보세요.

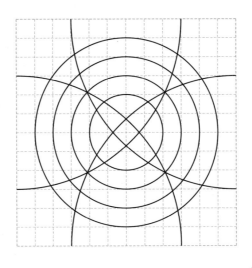

(   )

2
문제 해결

3가지 모양을 그렸습니다. 그린 3가지 모양의 공통점을 한 가지만 써 보세요.

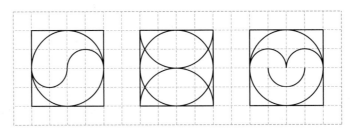

공통점 _____

_____

▶정답 및 해설 15쪽

[3~4] 모눈종이에 컴퍼스를 사용하여 규칙에 따라 원을 3개 그렸습니다. 물음에 답하세요.

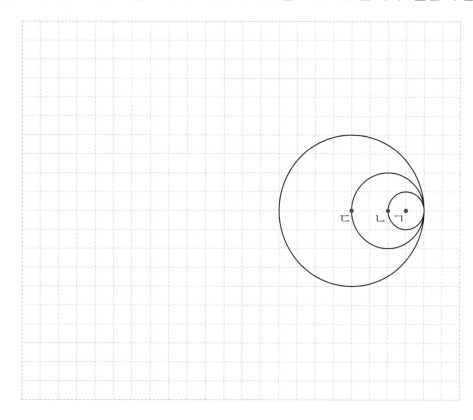

3 원의 중심을 그린 순서대로 점 ㄱ, ㄴ, ㄷ, ㄹ이라고 할 때 점 ㄹ을 찍어 보세요.

추론

4 그린 규칙을 설명하고 규칙에 따라 원을 1개 더 그려 보세요.

창의·융합 설명 _____

_____

1 동굴 안에서 미라가 쫓아오고 있습니다. 글을 읽고 알맞은 길로 이동하여 동굴을 탈출해 보세요. 창의·융합

2 동물들이 낚시를 하고 있습니다. 크기가 같은 원을 찾아 선으로 이어 보세요. 창의·융합

3 나머지가 같은 나눗셈을 말하는 학생끼리 선으로 이어 보세요. 창의·융합

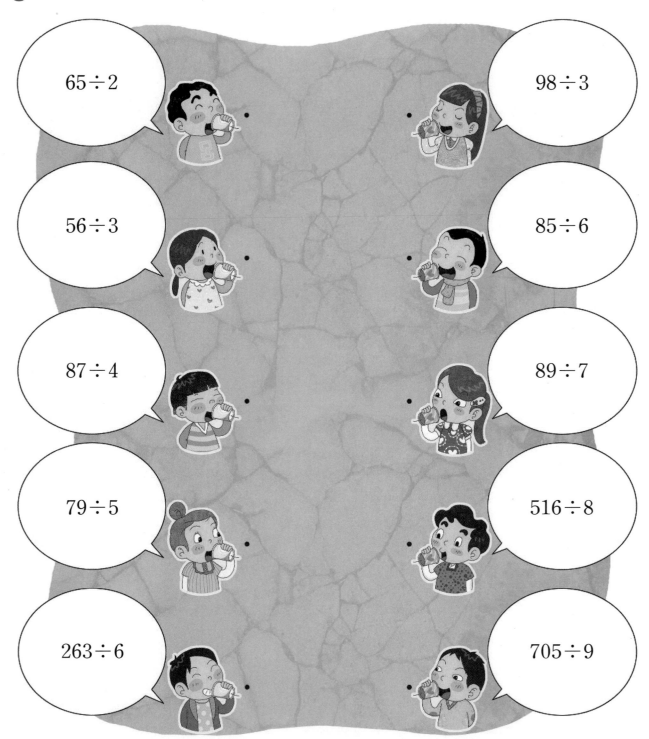

4 크기가 같은 원 6개를 그림과 같이 원의 중심을 지나도록 그렸습니다. 선분 ㄱㄴ의 길이는 몇 cm인지 구해 보세요. 문제 해결

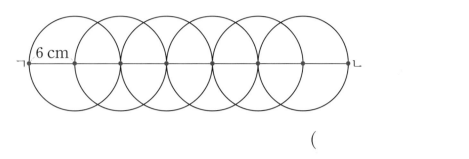

(   )

5 붕어빵을 가장 많이 만든 사람은 누구인지 기호를 찾아 써 보세요. 창의·융합

ㄱ 한 명에게 6개씩 12명에게 팔았고 이제 3개 남았네.

ㄴ 한 명에게 7개씩 9명에게 팔았고 이제 3개 남았네.

ㄷ 한 명에게 5개씩 14명에게 팔았고 이제 4개 남았네.

ㄹ 한 명에게 4개씩 17명에게 팔았고 이제 3개 남았네.

ㅁ 한 명에게 8개씩 9명에게 팔았고 이제 4개 남았네.

(   )

6 규칙에 따라 모양을 2개 더 그려 보세요. 추론

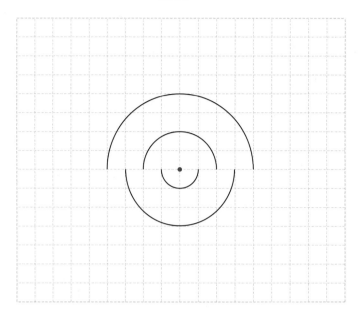

7 길이가 696 m인 길의 한쪽에 처음부터 끝까지 깃발을 꽂으려고 합니다. 깃발과 깃발 사이의 간격을 8 m로 할 때 꽂은 깃발은 몇 개인지 구해 보세요. (단, 깃발의 굵기는 생각하지 않습니다.) 문제 해결

(   )

8 반지름이 4 cm인 원 모양의 색종이 7장을 이용하여 그림과 같이 서로 맞닿게 한 후 선분으로 둘러쌌습니다. 둘러싼 선분의 길이의 합은 몇 cm인지 구해 보세요. 문제 해결

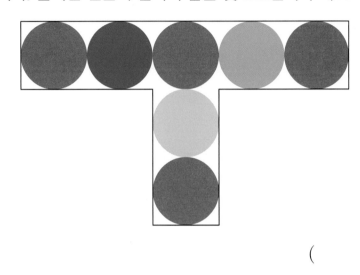

(   )

2주
특강

9 보기 와 같이 상자에 빨간색 공과 파란색 공을 넣으면 일정한 규칙에 따라 수가 써 있는 새로운 공이 나옵니다. 공에 알맞은 수를 각각 써 보세요. 추론

보기

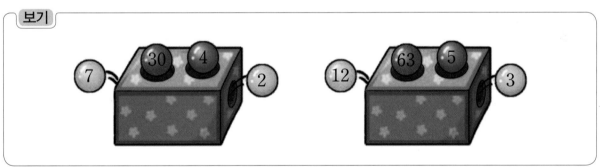

누구나 **100점** TEST

1 나머지가 4가 나올 수 <u>없는</u> 식을 찾아 기호를 써 보세요.

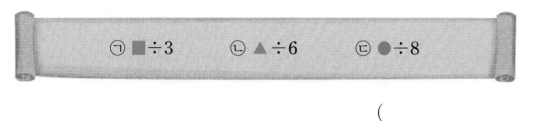

ㄱ ■ ÷ 3   ㄴ ▲ ÷ 6   ㄷ ● ÷ 8

(   )

2 원 안에 그을 수 있는 가장 긴 선분을 3개 그어 보세요.

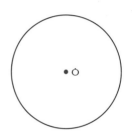

3 크기가 같은 원이 되도록 ☐ 안에 알맞은 수를 써넣으세요.

반지름이 7 cm인 원＝지름이 ☐ cm인 원

4 어떤 수를 5로 나누었더니 몫이 26이고 나머지가 3이었습니다. 어떤 수는 얼마인지 구해 보세요.

(   )

5 다음 모양을 그리기 위해 컴퍼스의 침을 꽂아야 할 곳은 모두 몇 군데인지 구해 보세요.

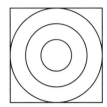   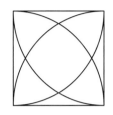

(   )

6 크기가 같은 원 2개를 서로 원의 중심인 점 ㄴ과 점 ㄷ을 지나도록 겹친 후 삼각형 ㄱㄴㄷ을 만들었습니다. 원의 반지름이 6 cm일 때 만든 삼각형 ㄱㄴㄷ의 세 변의 길이의 합은 몇 cm인지 구해 보세요.

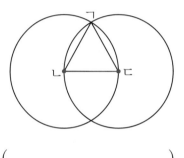

(   )

7 정사각형 안에 가장 큰 원을 그렸습니다. 그린 정사각형의 네 변의 길이의 합이 68 cm일 때 원의 지름은 몇 cm인지 구해 보세요.

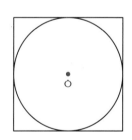

(   )

8 수 카드 3장을 한 번씩 사용하여 (두 자리 수)÷(한 자리 수)의 나눗셈식을 만들었습니다. 몫이 가장 큰 나눗셈식을 만들고 그때의 몫을 구해 보세요.

   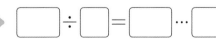

(   )

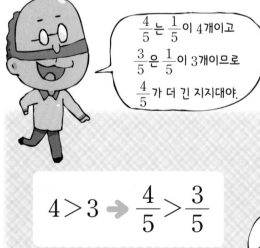

$$4 > 3 \rightarrow \frac{4}{5} > \frac{3}{5}$$

• 분수만큼은 얼마인지 알아보기

8의 $\frac{3}{4}$은 6입니다.

6은 8의 $\frac{3}{4}$입니다.

• 진분수, 가분수, 자연수

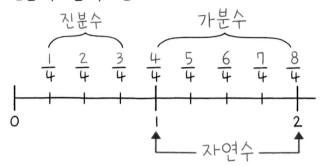

확인 문제

1-1 그림을 보고 ☐ 안에 알맞은 수를 써넣으세요.

(1) 4는 12의 $\dfrac{\boxed{}}{6}$입니다.

(2) 12의 $\dfrac{5}{6}$는 $\boxed{}$입니다.

한번 더

1-2 그림을 보고 ☐ 안에 알맞은 수를 써넣으세요.

(1) 9는 15의 $\dfrac{\boxed{}}{5}$입니다.

(2) 15의 $\dfrac{2}{5}$는 $\boxed{}$입니다.

2-1 진분수는 '진', 가분수는 '가', 대분수는 '대'를 써 보세요.

(1) $\dfrac{9}{15}$ (   )

(2) $1\dfrac{4}{13}$ (   )

(3) $\dfrac{17}{10}$ (   )

2-2 분수를 진분수, 가분수, 대분수로 나누어 보세요.

$$\frac{10}{6} \qquad 2\frac{2}{3} \qquad \frac{5}{7}$$

진분수 (   )

가분수 (   )

대분수 (   )

교과 내용 확인하기

- 가분수를 대분수로, 대분수를 가분수로 바꾸기

$\dfrac{9}{4}$ → 9 안에 4가 2번 들어가고 1이 남습니다. → $2\dfrac{1}{4}$

$1\dfrac{4}{5}$ → 1은 $\dfrac{1}{5}$이 5개, $\dfrac{4}{5}$는 $\dfrac{1}{5}$이 4개 → $\dfrac{9}{5}$

- 분모가 같은 분수의 크기 비교

$\dfrac{7}{6} < \dfrac{11}{6}$ ← 분자가 클수록 큰 수야.

$2\dfrac{4}{5} < 3\dfrac{1}{5}$ ← 자연수가 클수록 큰 수야.

확인 문제

3-1 가분수를 대분수로 나타내어 보세요.

(1) $\dfrac{16}{3}$ ( )

(2) $\dfrac{17}{6}$ ( )

한번 더

3-2 대분수를 가분수로 나타내어 보세요.

(1) $5\dfrac{1}{2}$ ( )

(2) $7\dfrac{3}{4}$ ( )

4-1 분수의 크기를 비교하여 ○ 안에 >, =, <를 알맞게 써넣으세요.

(1) $\dfrac{8}{3}$ ○ $\dfrac{10}{3}$

(2) $2\dfrac{5}{9}$ ○ $1\dfrac{6}{9}$

(3) $3\dfrac{1}{7}$ ○ $\dfrac{15}{7}$

(4) $\dfrac{13}{8}$ ○ $2\dfrac{5}{8}$

4-2 가장 큰 분수와 가장 작은 분수를 찾아 써 넣으세요.

$1\dfrac{2}{5}$ $\dfrac{6}{5}$ $\dfrac{19}{5}$

가장 큰 분수는 [ ]이고

가장 작은 분수는 [ ]입니다.

① 분수만큼은 얼마인지 알아보기

- 15의 $\dfrac{1}{3}$ 알아보기 ── 15를 똑같이 3으로 나눈 것 중의 1입니다.

15의 $\dfrac{1}{3}$은 $15 \div 3 = 5$

15의 $\dfrac{2}{3}$는 $5 \times 2 = 10$ ← (15의 $\dfrac{1}{3}$)의 2배

- 15의 $\dfrac{1}{5}$ 알아보기 ── 15를 똑같이 5로 나눈 것 중의 1입니다.

15의 $\dfrac{1}{5}$은 $15 \div 5 = 3$

15의 $\dfrac{2}{5}$는 $3 \times 2 = 6$ ← (15의 $\dfrac{1}{5}$)의 2배

15의 $\dfrac{3}{5}$은 $3 \times 3 = 9$ ← (15의 $\dfrac{1}{5}$)의 3배

15의 $\dfrac{4}{5}$는 $3 \times 4 = 12$ ← (15의 $\dfrac{1}{5}$)의 4배

활동 문제 　알맞은 식을 찾아 연결해 보세요.

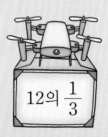
12의 $\dfrac{1}{3}$

16의 $\dfrac{1}{4}$

18의 $\dfrac{1}{3}$

12의 $\dfrac{1}{4}$

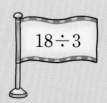
$18 \div 3$

$16 \div 4$

$12 \div 3$

$12 \div 4$

2 **시간을 분으로 나타내기**

- $\frac{1}{2}$시간 ← 1시간의 $\frac{1}{2}$을 말합니다. 1시간을 똑같이 2로 나눈 것 중의 1입니다.

$$\frac{1}{2}\text{시간}=1\text{시간의 }\frac{1}{2}=60\text{분의 }\frac{1}{2}$$
$$=60\text{분}\div 2=30\text{분}$$

- $\frac{1}{3}$시간 ← 1시간의 $\frac{1}{3}$을 말합니다. 1시간을 똑같이 3으로 나눈 것 중의 1입니다.

$$\frac{1}{3}\text{시간}=1\text{시간의 }\frac{1}{3}=60\text{분의 }\frac{1}{3}$$
$$=60\text{분}\div 3=20\text{분}$$

- $\frac{3}{4}$시간 ← $\frac{1}{4}$시간의 3배입니다.

$\frac{1}{4}$시간$=60$분$\div 4=15$분 ➡ $\frac{3}{4}$시간$=15$분$\times 3=45$분

활동 문제 시간을 분으로 바르게 나타낸 식을 찾아 연결해 보세요.

$\frac{1}{5}$시간

$\frac{1}{6}$시간

$\frac{1}{3}$시간

$\frac{1}{4}$시간

60분$\div 3$

60분$\div 5$

60분$\div 4$

60분$\div 6$

1-1 수현이와 민우는 빵 18개를 나누어 가지려고 합니다. 수현이는 전체의 $\frac{1}{2}$, 민우는 전체의 $\frac{1}{3}$을 가질 때, 누가 빵을 몇 개 더 많이 가지는지 차례로 써 보세요.

(   ), (   )

- 18개의 $\frac{1}{2}$은 18개를 똑같이 2로 나눈 것 중의 1이므로 $18 \div 2$로 계산합니다.

- 18개의 $\frac{1}{3}$은 18개를 똑같이 3으로 나눈 것 중의 1이므로 $18 \div 3$으로 계산합니다.

1-2 정호와 혜란이는 색종이 30장을 나누어 가지려고 합니다. 정호는 전체의 $\frac{1}{5}$, 혜란이는 전체의 $\frac{2}{6}$를 가질 때, 누가 색종이를 몇 장 더 많이 가지는지 풀이 과정을 완성하고 답을 차례로 써 보세요.

풀이 ① 정호: 30장의 $\frac{1}{5}$은 $30 \div 5 = \boxed{}$(장)

② 혜란: 30장의 $\frac{1}{6}$은 $30 \div 6 = \boxed{}$(장)

➡ 30장의 $\frac{2}{6}$는 $\boxed{} \times 2 = \boxed{}$(장)

> $\frac{1}{6}$을 먼저 계산해야 $\frac{2}{6}$를 구할 수 있어요.

③ 따라서 (정호 , 혜란)(이)가 색종이를 $\boxed{}$장 더 많이 가집니다.

답 _____ , _____

1-3 지연이는 색종이를 40장 가지고 있습니다. 전체의 $\frac{3}{8}$은 빨간색이고, 전체의 $\frac{1}{4}$은 파란색입니다. 어떤 색이 몇 장 더 많은지 차례로 써 보세요.

(   ), (   )

2-1 정호는 $\frac{1}{3}$ 시간 동안 수학 공부를 하였고, $\frac{1}{2}$ 시간 동안 영어 공부를 하였습니다. 어떤 공부를 몇 분 더 많이 했는지 차례로 써 보세요.

(   ), (   )

- 구하려는 것: 어떤 공부를 몇 분 더 했는지 구하기
- 주어진 조건: $\frac{1}{3}$ 시간 동안 수학 공부를 하였고, $\frac{1}{2}$ 시간 동안 영어 공부를 함.
- 해결 전략: ❶ $\frac{1}{3}$ 시간은 1시간(=60분)의 $\frac{1}{3}$ 을 나타냅니다. ➡ 60분÷3

            ❷ $\frac{1}{2}$ 시간은 1시간(=60분)의 $\frac{1}{2}$ 을 나타냅니다. ➡ 60분÷2

시간을 분으로 나타내는 것이 핵심이에요.

✐ 구하려는 것(〜〜〜)과 주어진 조건(────)에 표시해 봅니다.

2-2 민호는 $\frac{1}{5}$ 시간 동안 줄넘기를 하고, $\frac{5}{6}$ 시간 동안 달리기를 하였습니다. 민호가 줄넘기와 달리기를 한 시간은 모두 몇 분일까요?

> **해결 전략**
> ❶ 60분의 $\frac{1}{5}$ 은 60분÷5로 계산합니다.
> ❷ 60분의 $\frac{5}{6}$ 는 60분의 $\frac{1}{6}$ 을 계산한 후 5배 합니다.

(   )

2-3 성호는 그림을 어제 $\frac{2}{3}$ 시간 동안 그렸고, 오늘 $\frac{3}{4}$ 시간 동안 그렸습니다. 어제와 오늘 중 언제 몇 분 더 많이 그렸을까요?

(   ), (   )

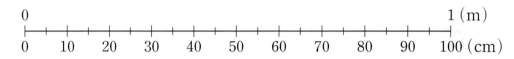

1 m로 나타낸 길이를 cm로 바꿔 보세요.

문제 해결

```
0                                                    1 (m)
├──┼──┼──┼──┼──┼──┼──┼──┼──┼──┤
0   10  20  30  40  50  60  70  80  90 100 (cm)
```

(1) $\dfrac{1}{4}$ m → (   ) (2) $\dfrac{3}{4}$ m → (   )

(3) $\dfrac{1}{5}$ m → (   ) (4) $\dfrac{4}{5}$ m → (   )

2 동우는 하루의 $\dfrac{1}{3}$ 은 잠을 자고, 하루의 $\dfrac{1}{4}$ 은 학교에 있습니다.

창의 · 융합 활동 시간만큼 주어진 색깔에 맞게 색칠하세요.

하루는
24시간이지요.

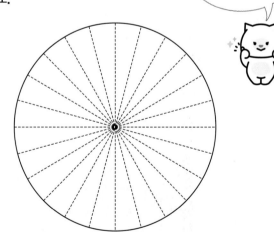

잠을 자는 시간	……	
학교에 있는 시간	……	
나머지 시간	……	

▶정답 및 해설 18쪽

3 코딩

순서도에 따라 출력되는 수를 구해 보세요.

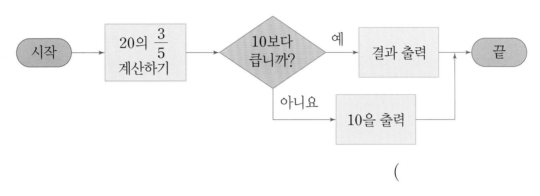

(   )

4 창의·융합

승현이는 1일부터 15일까지 매일 날씨를 조사하였습니다. 1일부터 차례로 전체의 $\frac{1}{5}$은 비가 오고, 전체의 $\frac{2}{3}$는 흐리고 나머지 날은 맑았습니다. 맑았던 날에 모두 ☀을 그려 보세요.

일	월	화	수	목	금	토
						1
2	3	4	5	6	7	8
9	10	11	12	13	14	15

1 전체 구하기

전체의 $\dfrac{1}{4}$이 3이면

(전체)$=3\times 4$

$\quad\quad =12$

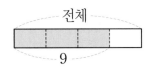

전체의 $\dfrac{3}{4}$이 9이면

(전체의 $\dfrac{1}{4}$)$=9\div 3=3$

(전체)$=3\times 4=12$

전체의 단위분수만큼을 알면 전체의 크기를 알 수 있어요. 단위분수는 분자가 1인 분수를 말해요.

예 전체의 $\dfrac{1}{\blacksquare}$이 ▲이면

전체는 ▲ × ■ 입니다.

활동 문제 전체 를 구하는 식을 완성해 보세요.

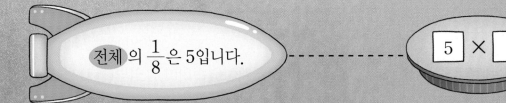

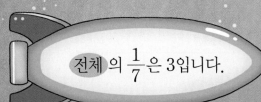

전체 의 $\dfrac{1}{8}$은 5입니다.

$\boxed{5}\times\boxed{}$

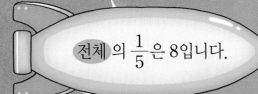

전체 의 $\dfrac{1}{7}$은 3입니다.

$\boxed{}\times\boxed{}$

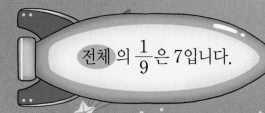

전체 의 $\dfrac{1}{5}$은 8입니다.

$\boxed{}\times\boxed{}$

전체 의 $\dfrac{1}{9}$은 7입니다.

$\boxed{}\times\boxed{}$

2 부분 구하기

예 15를 3씩 묶으면 12는 15의 몇인지 알아보기

① 전체와 부분 구별하기

전체는 15, 부분은 12입니다.

부분은 전체의 $\dfrac{(부분\ 묶음\ 수)}{(전체\ 묶음\ 수)}$ 입니다.

② 묶음 수 구하기

전체 묶음 수: 15÷3＝5(묶음), 부분 묶음 수: 12÷3＝4(묶음)

③ 답 구하기

15를 3씩 묶으면 12는 15의 $\dfrac{4}{5}$ 입니다.
부분 묶음 수 / 전체 묶음 수

활동 문제 전체 묶음 수는 □ 안에, 부분 묶음 수는 ○ 안에 써넣으세요.

18을 6씩 묶으면 12는 18의 -------- $\dfrac{○}{3}$

12를 4씩 묶으면 8은 12의 -------- $\dfrac{○}{□}$

20을 5씩 묶으면 15는 20의 -------- $\dfrac{○}{□}$

35를 7씩 묶으면 14는 35의 -------- $\dfrac{○}{□}$

1-1 수아네 반에서 안경을 쓴 학생은 반 전체의 $\frac{1}{4}$입니다. 안경을 쓴 학생이 6명일 때 반 전체 학생은 몇 명일까요?

( )

안경을 쓴 학생 수는 반 전체 학생 수를 똑같이 4모둠으로 나눈 것 중의 1모둠과 같습니다.
➡ (반 전체 학생 수)=(한 모둠의 학생 수)×(전체 모둠 수)

1-2 지민이네 반에서 바둑을 배우는 학생은 반 전체의 $\frac{2}{7}$입니다. 바둑을 배우는 학생이 4명일 때 반 전체 학생은 몇 명인지 풀이 과정을 완성하고 답을 구해 보세요.

풀이 반 전체 학생 수의 $\frac{2}{7}$가 4명입니다.

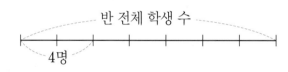

반 전체 학생 수의 $\frac{1}{7}$은 4÷☐=☐(명)입니다.

(반 전체 학생 수)=(눈금 한 칸이 나타내는 학생 수)×(전체 눈금 수)

$$=\boxed{}\times\boxed{}$$

$$=\boxed{}\text{(명)}$$

답 _____

1-3 선호네 반에서 태권도를 배우는 학생은 반 전체의 $\frac{3}{8}$입니다. 태권도를 배우는 학생이 9명일 때 반 전체 학생은 몇 명인지 구해 보세요.

(1) 선호네 반 전체 학생 수의 $\frac{1}{8}$은 몇 명일까요?

( )

(2) 선호네 반 전체 학생은 몇 명일까요?

( )

전체를 구하려면 전체의 $\frac{1}{\blacksquare}$을 먼저 구해 보아요.

2-1 사과 한 상자에 사과가 35개 들어 있습니다. 사과 한 상자를 한 봉지에 5개씩 나누어 담아서 이웃과 나누어 먹으려고 합니다. 아랫 집에 사과를 10개 주면 전체 사과의 몇 분의 몇을 주는 것일까요?

(   )

- 구하려는 것: 아랫집에 사과를 10개 주면 전체 사과의 몇 분의 몇을 주는 것인지 구하기
- 주어진 조건: 전체 사과 수 35개, 한 봉지에 사과를 5개씩 담음.
- 해결 전략: ❶ 전체 사과를 5개씩 묶으면 전체는 몇 묶음이 되는지 구하기

  ❷ 아랫집에 주는 사과는 몇 묶음인지 구하기

  ❸ $\dfrac{\text{(아랫집에 주는 묶음 수)}}{\text{(전체 묶음 수)}}$ 구하기

✎ 구하려는 것(〰〰)과 주어진 조건(─────)에 표시해 봅니다.

2-2 정아네 집에 토마토가 54개 있습니다. 이 토마토를 한 봉지에 9개씩 나누어 담았습니다. 이 중 36개를 먹으면 먹은 토마토는 전체의 몇 분의 몇일까요?

해결 전략

$\dfrac{\text{(먹은 묶음 수)}}{\text{(전체 묶음 수)}}$ 를 구합니다.

(   )

2-3 미선이네 집에 감자가 28개 있습니다. 이 감자를 한 봉지에 2개씩 나누어 담았습니다. 이 중 10개를 먹으면 남은 감자는 전체의 몇 분의 몇일까요?

(   )

1

문제 해결

□ 안에 알맞은 수를 써넣으세요.

(1) 14를 2씩 묶으면 8은 14의 $\dfrac{\square}{\square}$입니다.

(2) 27을 3씩 묶으면 15는 27의 $\dfrac{\square}{\square}$입니다.

2

창의 · 융합

승아와 정희는 빨간 구슬과 파란 구슬을 가지고 있습니다. 물음에 답하세요.

(1) 승아는 빨간 구슬을 6개 가지고 있고 이것은 전체 구슬의 $\dfrac{2}{7}$입니다. 파란 구슬만큼 색칠해 보세요.

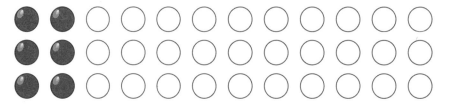

(2) 정희는 빨간 구슬을 9개 가지고 있고 이것은 전체 구슬의 $\dfrac{3}{5}$입니다. 파란 구슬만큼 색칠해 보세요.

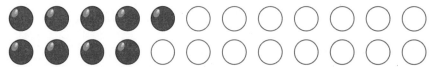

3 추론 어떤 수의 $\frac{1}{6}$, $\frac{2}{6}$, $\frac{3}{6}$, $\frac{4}{6}$를 각각 계산하여 칠판에 적었습니다. 어떤 수의 $\frac{1}{4}$을 계산해 보세요.

(   )

4 추론 다음과 같은 5장의 수 카드 중 3장을 골라 한 번씩 사용하여 □ 안에 넣어 올바른 문장이 되도록 하려고 합니다. 만들 수 있는 문장을 모두 써 보세요.

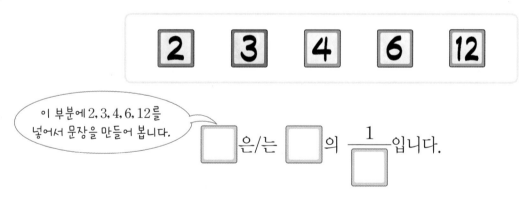

이 부분에 2, 3, 4, 6, 12를 넣어서 문장을 만들어 봅니다.

□ 은/는 □ 의 $\frac{1}{\square}$입니다.

① **수 카드로 진분수와 가분수 만들기**

예 **3**, **4**, **5** 중 2장을 골라 한 번씩 사용하여 진분수와 가분수 만들기

- 진분수 만들기

  만들 수 있는 진분수가 없어요.

  ① 분모가 3인 경우

  ② 분모가 4인 경우: $\dfrac{3}{4}$

  ③ 분모가 5인 경우: $\dfrac{3}{5}$, $\dfrac{4}{5}$

- 가분수 만들기

  ① 분모가 3인 경우: $\dfrac{4}{3}$, $\dfrac{5}{3}$

  ② 분모가 4인 경우: $\dfrac{5}{4}$

  ③ 분모가 5인 경우 만들 수 있는 가분수가 없어요.

활동 문제 구슬에 써 있는 수를 한 번씩 사용하여 진분수와 가분수를 만들어 보세요.

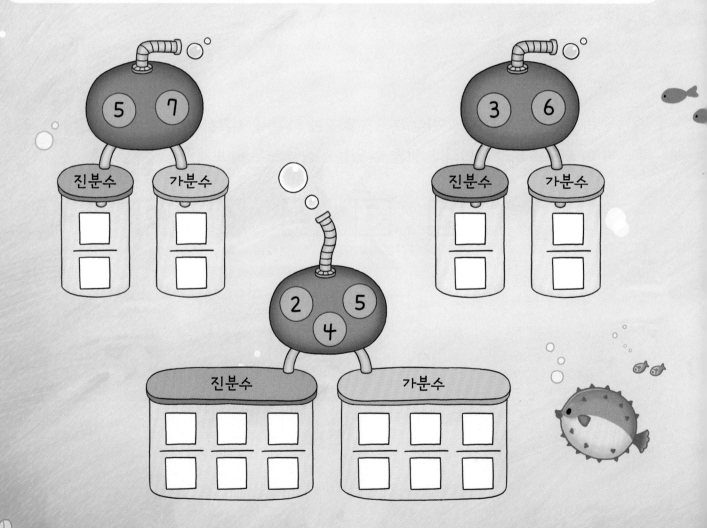

2 수 카드로 대분수 만들기

예 **3**, **4**, **5**, **6** 중 3장을 골라 한 번씩 사용하여 대분수 만들기

① 자연수 부분이 3인 경우: $3\frac{4}{5}$, $3\frac{4}{6}$, $3\frac{5}{6}$

② 자연수 부분이 4인 경우: $4\frac{3}{5}$, $4\frac{3}{6}$, $4\frac{5}{6}$

③ 자연수 부분이 5인 경우: $5\frac{3}{4}$, $5\frac{3}{6}$, $5\frac{4}{6}$

④ 자연수 부분이 6인 경우: $6\frac{3}{4}$, $6\frac{3}{5}$, $6\frac{4}{5}$

<주의사항>
• 분자가 분모보다 크지 않도록 하기
• 수를 겹치게 쓰지 않기

3주
3일

활동 문제 구슬에 써 있는 수를 한 번씩 사용하여 대분수를 만들어 보세요.

1-1 3장의 수 카드를 모두 한 번씩 사용하여 만들 수 있는 가장 큰 대분수를 가분수로 바꿔 보세요.

4　　**5**　　**9**

(　　　　　　　　　　)

가장 큰 대분수를 만들려면 자연수 부분에 가장 큰 수인 9를 넣고, 나머지 수 4, 5로 분수 부분을 만듭니다.

1-2 3장의 수 카드 중 2장을 골라 한 번씩 사용하여 만들 수 있는 가장 큰 가분수를 대분수로 바꾸려고 합니다. 풀이 과정을 완성하고 답을 구해 보세요.

6　　**3**　　**7**

풀이 가장 큰 가분수는 분모에 가장 (큰 수 , 작은 수)를 넣고,

분자에 가장 (큰 수 , 작은 수)를 넣은 $\dfrac{\square}{\square}$ 입니다.

따라서 $\dfrac{\square}{\square}$ 을 대분수로 바꾸면 $\square$ 입니다.

답 _____

1-3 3장의 수 카드 중 2장을 골라 한 번씩 사용하여 만들 수 있는 가장 작은 진분수를 구해 보세요.

4　　**6**　　**8**

(1) 만들 수 있는 진분수를 모두 써 보세요.　　　　　(　　　　　　　)

(2) (1)에서 만든 수 중 가장 작은 수를 써 보세요.　　　　(　　　　　　　)

2-1 4장의 수 카드 중 3장을 골라 한 번씩 사용하여 4보다 작은 대분수를 만들려고 합니다. 만들 수 있는 대분수를 모두 써 보세요.

(   )

- 구하려는 것: 만들 수 있는 4보다 작은 대분수
- 주어진 조건: 수 카드 4장 중 3장을 골라 한 번씩 사용하기
- 해결 전략: ❶ 4보다 작은 대분수는 자연수 부분이 4보다 작아야 합니다.
  ❷ 자연수 부분에 놓일 수를 생각한 다음, 나머지 수 카드로 분수 부분을 만듭니다.

✎ 구하려는 것(〜〜)과 주어진 조건(———)에 표시해 봅니다.

2-2 4장의 수 카드 중 3장을 골라 한 번씩 사용하여 7보다 큰 대분수를 만들려고 합니다. 만들 수 있는 대분수를 모두 써 보세요.

해결 전략

자연수 부분에 놓일 수를 먼저 생각한 다음 나머지 수 카드로 분수 부분을 만듭니다.

(   )

2-3 4장의 수 카드 중 3장을 골라 한 번씩 사용하여 5보다 큰 대분수를 만들려고 합니다. 만들 수 있는 대분수를 모두 써 보세요.

(   )

1 문제 해결

7장의 수 카드 중 2장을 골라 한 번씩 사용하여 만들 수 있는 분수를 모두 써 보세요.

(1)
분모가 5인 진분수

(2)
분모가 5인 가분수

(3)
분자가 6인 진분수

(4)
분자가 6인 가분수

2 문제 해결

3장의 수 카드를 모두 한 번씩 사용하여 분모가 4인 대분수를 만들려고 합니다. 만들 수 있는 대분수를 모두 찾아 수직선에 화살표(↑)로 나타내어 보세요.

3 추론

세 수를 누른 후 버튼 ▶을 누르면 보기 와 같이 수가 나옵니다. 물음에 답하세요.

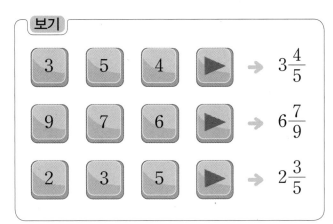

(1) 규칙을 써 보세요.

규칙

(2) 다음과 같이 눌렀을 때 나오는 분수를 써 보세요.

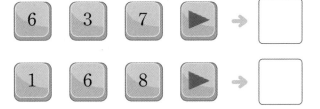

4 문제 해결

3장의 수 카드 중 2장을 골라 한 번씩 사용하여 만들 수 있는 분수 중 가장 작은 분수를 구해 보세요.

(   )

1 분수의 크기를 비교하여 ☐ 안에 들어갈 수 있는 자연수 구하기

$\dfrac{6}{13} > \dfrac{\square}{13}$　　분모가 같네요.

➔ $6 > \square$

➔ $\square = 5, 4, 3, 2, 1$

$7\dfrac{5}{9} < 7\dfrac{\square}{9}$　　자연수가 같네요.

➔ $5 < \square$

➔ $\square = 6, 7, 8$

$2\dfrac{4}{5} > \dfrac{\square}{5}$　　대분수를 가분수로 고쳐야 크기 비교가 되겠죠?

➔ $\dfrac{14}{5} > \dfrac{\square}{5}$

➔ $14 > \square$

➔ $\square = 13, 12, 11, \cdots\cdots, 2, 1$

$\dfrac{\square\, 2}{3} < \dfrac{10}{3}$　　☐가 있는 분수가 대분수네요. 대분수로 통일해야겠죠?

➔ $\square\dfrac{2}{3} < 3\dfrac{1}{3}$

➔ $\square = 2, 1$

활동 문제 　풍선에 쓰여 있는 수들 중에서 ☐ 안에 알맞은 수를 써넣으세요.

1
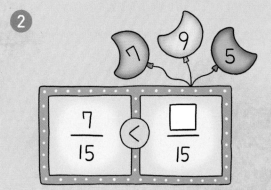

2

3

4

▶정답 및 해설 21쪽

2 조건에 맞는 분수 구하기

조건

① 진분수입니다.
② 분모와 분자의 합은 12입니다.
③ 분모와 분자의 차는 4입니다.

> 수의 개수가 적은 조건부터 알아봅니다.

• 수의 개수가 적은 조건부터 차례로 알아보면 ② → ③ → ①입니다.
• ②의 조건에 따라 합이 12인 두 수를 찾아보면
  (1과 11), (2와 10), (3과 9), (4와 8), (5와 7), (6과 6)입니다.
• ③의 조건에 따라 차가 4인 두 수는 (4와 8)입니다.
• ①의 조건에 따라 (4와 8)로 진분수를 만들어 보면 $\frac{4}{8}$입니다.

활동 문제   **조건** 에 맞는 분수를 찾고 있습니다. ☐ 안에 알맞은 수를 써넣으세요.

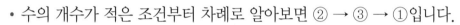

1

조건

① 진분수입니다.
② 분모와 분자의 합은 8입니다.
③ 분모와 분자의 차는 6입니다.

• 두 수의 합이 8인 경우:

  (1, 7), (2, ☐), (3, ☐), (4, ☐)

• 두 수의 차가 6인 경우:

  (☐, ☐)

• 두 수로 진분수 만들기:

  $\dfrac{\square}{\square}$

2

조건

① 가분수입니다.
② 분모와 분자의 합은 9입니다.
③ 분모와 분자의 차는 1입니다.

• 두 수의 합이 9인 경우:

  (1, 8), (2, ☐), (3, ☐), (4, ☐)

• 두 수의 차가 1인 경우:

  (☐, ☐)

• 두 수로 가분수 만들기:

  $\dfrac{\square}{\square}$

1-1 ● 안에 들어갈 수 있는 자연수는 모두 몇 개일까요?

$$2\frac{4}{5} > \frac{\bullet}{5}$$

(   )

$2\frac{4}{5}$ 를 가분수로 바꾸면 $\frac{14}{5}$ 입니다. $\frac{14}{5}$ 와 $\frac{\bullet}{5}$ 의 크기를 비교해 봅니다.

1-2 ● 안에 들어갈 수 있는 자연수는 모두 몇 개일까요?

$$\frac{36}{7} > \bullet\frac{4}{7}$$

(1) $\frac{36}{7}$ 을 대분수로 바꾸어 ☐ 안에 써넣으세요.

$$\boxed{} > \bullet\frac{4}{7}$$

(2) ● 안에 들어갈 수 있는 자연수를 모두 구해 보세요.

(   )

(3) ● 안에 들어갈 수 있는 자연수는 모두 몇 개일까요?

(   )

1-3 ● 안에 들어갈 수 있는 자연수는 모두 몇 개일까요?

$$\bullet\frac{5}{8} < \frac{55}{8}$$

(   )

2-1 조건 을 모두 만족하는 분수를 구해 보세요.

> **조건**
> • 가분수입니다.
> • 분모와 분자의 합은 7입니다.
> • 분모와 분자의 차는 1입니다.

(   )

• 구하려는 것: 세 가지 조건을 모두 만족하는 분수

• 주어진 조건: ① 가분수, ② 분모와 분자의 합은 7, ③ 분모와 분자의 차는 1

• 해결 전략: ❶ 합이 7인 두 수를 모두 찾습니다.

       ❷ ❶에서 찾은 것에서 차가 1인 두 수를 찾습니다.

       ❸ ❷에서 찾은 두 수로 가분수를 만듭니다.

✎ 구하려는 것(～～)과 주어진 조건(———)에 표시해 봅니다.

2-2 조건 을 모두 만족하는 분수를 구해 보세요.

> **조건**
> • 진분수입니다.
> • 분모와 분자의 합은 13입니다.
> • 분모와 분자의 차는 7입니다.

해결 전략

합이 13, 차가 7인 두 수를 먼저 찾아봅니다.

(   )

2-3 조건 을 모두 만족하는 분수를 구해 보세요.

> **조건**
> • 대분수입니다.
> • 분모와 분자의 합은 15이고, 차는 11입니다.
> • 2보다 작습니다.

(   )

1 두 수를 수직선에 화살표(↑)로 나타내고 ○ 안에 >, =, <를 알맞게 써넣으세요.

문제 해결

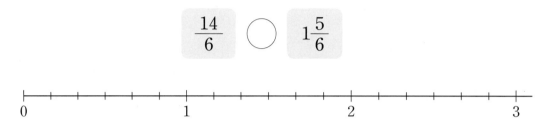

$$\frac{14}{6} \bigcirc 1\frac{5}{6}$$

```
├──┼──┼──┼──┼──┼──┼──┼──┼──┼──┼──┼──┤
0        1           2           3
```

2 ✿ 안에 들어갈 수 있는 분수 중에서 분모가 9인 가분수를 모두 구해 보세요.

문제 해결

$$3\frac{7}{9} < ✿ < 4\frac{3}{9}$$

(   )

3 □ 안에 1을 넣고 순서도에서 처리되어 출력되는 값을 구해 보세요.

코딩

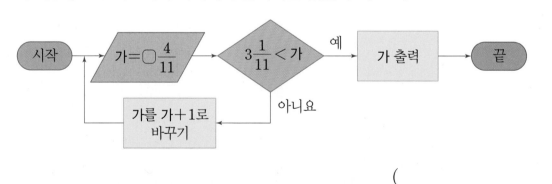

시작 → 가=□$\frac{4}{11}$ → $3\frac{1}{11}$ < 가 →예→ 가 출력 → 끝

아니요 → 가를 가+1로 바꾸기

(   )

4
문제 해결

조건 을 모두 만족하는 분수를 모두 구해 보세요.

조건
• 분자가 9인 대분수입니다.
• 2보다 크고 5보다 작습니다.
• 분모와 분자의 차는 3입니다.

(   )

 5
추론

5장의 수 카드 중 2장을 골라 □ 안에 한 번씩 사용하여 $3\frac{1}{3}$보다 큰 대분수를 만들려고 합니다. 만들 수 있는 대분수를 모두 써 보세요.

$$3\frac{1}{3} < \square\frac{\square}{3}$$

(1) 자연수 부분에 올 수 있는 수 카드의 수를 모두 써 보세요.

(   )

(2) $\square\dfrac{\square}{3}$ 가 될 수 있는 대분수를 모두 써 보세요.

(   )

1 부은 횟수로 들이 비교하기

다음 냄비에 물을 가득 채우려면 ㉮ 컵으로 5번, ㉯ 컵으로 3번, ㉰ 컵으로 4번 부어야
합니다. 들이가 가장 많은 컵과 들이가 가장 적은 컵을 알아보세요.

㉮		5번
㉯		3번
㉰		4번

→ 들이가 적은 컵으로 부으면 붓는 횟수가 많습니다.

→ 들이가 많은 컵으로 부으면 붓는 횟수가 적습니다.

→ 들이가 가장 많은 컵은 ㉯, 들이가 가장 적은 컵은 ㉮입니다.

활동 문제 주어진 통에 물을 가득 채우려면 세 종류의 컵으로 각각 다음과 같이 부어야 합니
다. 들이가 가장 많은 컵에 ◯표, 들이가 가장 적은 컵에 △표 하세요.

1
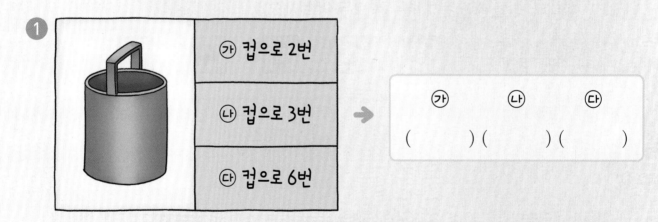

가 컵으로 2번
나 컵으로 3번
다 컵으로 6번

→
  가   나   다
(   ) (   ) (   )

2
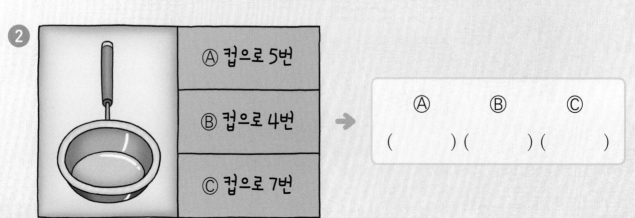

Ⓐ 컵으로 5번
Ⓑ 컵으로 4번
Ⓒ 컵으로 7번

→
  Ⓐ   Ⓑ   Ⓒ
(   ) (   ) (   )

2 수조에 물 담는 방법 알아보기

들이가 3 L, 5 L인 물통 2개를 모두 사용하여 물 1 L 담기

1 L만큼 담으세요.

방법1

3 L들이 물통에 물을 가득 담아 수조에 2번 부은 후 수조에 담은 물을 5 L들이 물통에 가득 담아 1번 덜어내면 1 L가 남습니다.

➡ 3+3-5=1 (L)

방법2

① 3 L들이 물통에 물을 가득 담아 5 L들이 물통에 붓습니다.
└▸5 L들이 물통에 3 L가 담깁니다.

② 다시 3 L들이 물통에 물을 가득 담아 5 L들이 물통에 가득 채워질 때까지 부으면 3 L들이 물통에 1 L가 남습니다.
└▸5 L들이 물통에 2 L를 더 채우면 5 L들이 물통에 가득 찹니다.

3주
5일

활동 문제 들이가 다음과 같은 두 물통을 모두 사용하여 빈 수조에 해당하는 만큼 물을 담아 보세요.

1

물 5 L 담기

1 L   3 L

3 L들이 물통에 물을 가득 담아 수조에 1번 붓고,

1 L들이 물통에 물을 가득 담아 수조에 □번 부으면 5 L가 됩니다.

2

물 1 L 담기

6 L   7 L

7 L들이 물통에 물을 가득 담아 6 L들이 물통이 가득 찰 때까지 부으면 7 L들이 물통에 남은 물은

□ L - □ L = □ L입니다.

1-1 들이가 3 L, 7 L인 두 물통을 모두 사용하여 빈 수조에 물 13 L 를 담는 방법을 설명해 보세요.

3 L   7 L

설명 _____

_____

3과 7로 13을 어떻게 만들 수 있는지 생각해 봅니다. ➡ 3+3+7=13

1-2 들이가 4 L, 7 L인 두 물통을 모두 사용하여 빈 수조에 물 10 L를 담는 방법을 완성해 보세요.

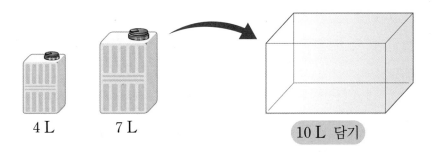

4 L   7 L   10 L 담기

방법1 ① 7 L들이 물통에 물을 가득 담아 수조에 붓습니다.

② 7 L들이 물통에 물을 가득 담아 4 L들이 물통에 채워질 때까지 부으면 7 L들이 물통에 남는 물은 $\boxed{}$ L $-$ $\boxed{}$ L $=$ $\boxed{}$ L입니다.

③ 7 L들이 물통에 남은 물을 수조에 부으면 수조에 담긴 물은 7 L $+$ $\boxed{}$ L $=$ $\boxed{}$ L가 됩니다.

방법2 7 L들이 물통에 물을 가득 담아 수조에 2번 붓습니다.

_____

_____

2-1 두 친구가 컵을 한 개씩 가지고 있습니다. 같은 크기의 그릇에 각자 물을 가득 담기 위해 가지고 있는 컵으로 민아가 10번, 수정이가 9번을 부었습니다. 들이가 적은 컵을 가지고 있는 친구는 누구일까요?

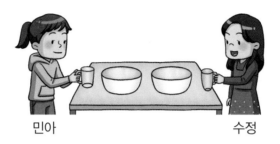

민아   수정

(   )

- 구하려는 것: 들이가 적은 컵을 가지고 있는 친구
- 주어진 조건: 같은 크기의 그릇에 각자 물을 가득 담기 위해 민아가 10번, 수정이가 9번을 부었습니다.
- 해결 전략: 물을 부은 횟수가 많을수록 컵의 들이가 적습니다.

✎ 구하려는 것(〜〜)과 주어진 조건(───)에 표시해 봅니다.

2-2 두 친구가 컵을 한 개씩 가지고 있습니다. 같은 크기의 주전자에 각자 물을 가득 담기 위해 가지고 있는 컵으로 민석이가 5번, 희준이가 9번을 부었습니다. 들이가 많은 컵을 가지고 있는 친구는 누구일까요?

> **해결 전략**
> 물을 부은 횟수가 적을수록 컵의 들이가 많습니다.

(   )

2-3 성호는 똑같은 크기의 수조 3개에 ㉮, ㉯, ㉰ 컵으로 각각 물을 가득 담았습니다. ㉮ 컵으로 4번, ㉯ 컵으로 2번, ㉰ 컵으로 7번 부었을 때 수조가 가득 찼다면 들이가 많은 컵부터 순서대로 써 보세요.

(   )

1 문제 해결

㉮, ㉯, ㉰ 그릇에 물을 가득 담기 위해 모양과 크기가 같은 컵으로 다음과 같이 물을 부었습니다. 들이가 가장 많은 그릇과 들이가 가장 적은 그릇의 기호를 써 보세요.

들이가 가장 많은 그릇 (   )

들이가 가장 적은 그릇 (   )

2 코딩

5 L들이 물통과 9 L들이 물통이 있습니다. 명령에 따라 실행하면 양동이에 담긴 물은 몇 L일까요?

(1) ▶

실행하기

5 L들이 물통에 물을 가득 담아 양동이에 붓기

5 L들이 물통에 물을 가득 담아 양동이에 붓기

양동이의 물을 9 L들이 물통에 가득 담아 덜어내기

끝내기

(   )

(2) ▶

실행하기

9 L들이 물통에 물을 가득 담아 양동이에 붓기

9 L들이 물통에 물을 가득 담아 5 L들이 물통에 가득 붓기

9 L들이 물통에 남아 있는 물을 양동이에 붓기

끝내기

(   )

▶정답 및 해설 23쪽

3

들이가 6 L인 주전자에 물을 가득 담으려면 A 물통으로 2번 붓거나 B 물통으로 3번 부어야 합니다. A와 B 중 어느 물통의 들이가 더 많을까요? 또 그 물통의 들이는 몇 L일까요?

(   ), (   )

4

들이가 200 mL, 300 mL인 잔이 있습니다. 이 잔을 모두 사용하여 700 mL와 100 mL를 담는 방법을 각각 설명해 보세요.

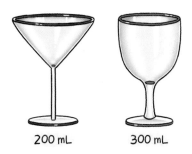

200 mL   300 mL

(1) 700 mL를 담는 방법

(2) 100 mL를 담는 방법

1 새학기를 맞이하여 새로운 반에 친구들이 모였습니다. 친구들은 서로 같은 크기의 분수와 짝이 되고 싶어 해요. 같은 크기의 분수들을 찾아 짝을 지어 주세요. 문제 해결

2 택배 기사분들이 물건을 배달하고 있습니다. 상자에 적힌 시간을 분으로 계산하여 각 물건을 어느 집으로 배달하여야 하는지 찾아 연결해 보세요. 문제 해결

3 순서도에 따라 실행했을 때 출력되는 값을 써 보세요. 코딩

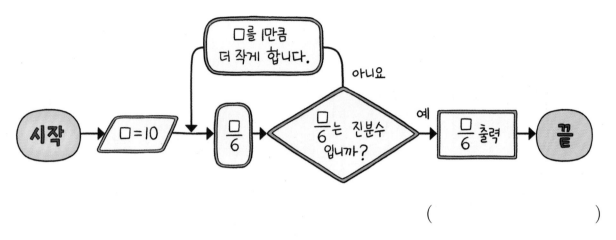

(   )

4 주사위를 던져 나온 눈을 이용하여 보기 와 같은 방법으로 대분수를 만들려고 합니다. 다음과 같이 주사위가 나왔을 때, 3회에 나와야 하는 눈의 수를 모두 구해 보세요. 추론

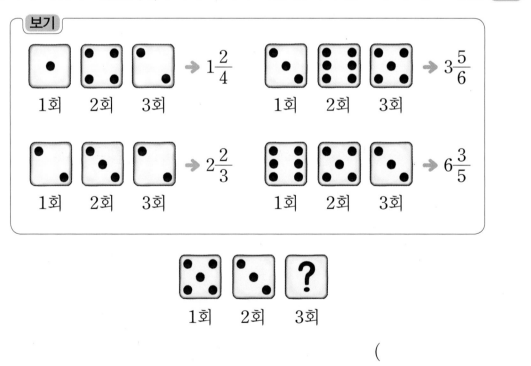

(   )

5 지원이와 현아의 대화를 읽고 물음에 답하세요. 문제 해결

 지원: 현아야, 우리 분수 알아맞히기 놀이할래?

 현아: 그래, 재미있겠다.

 지원: 이 분수는 가분수야. 가분수가 어떤 분수인지 알고 있지?

 현아: 가분수는 (㉠). 맞지?

 지원: 응, 맞아. 분모와 분자의 합은 38이고, 분모와 분자의 차는 4야.

 현아: 아~ 그럼 답은 (㉡)(이)야.

1 ㉠에 들어갈 알맞은 말을 써 보세요.

_____

2 ㉡에 알맞은 답을 구해 보세요.

(   )

6 들이가 500 mL와 700 mL인 물통을 이용하여 물을 300 mL 담는 방법을 설명해 보세요. 추론

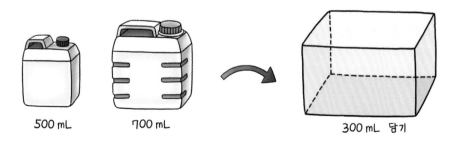

500 mL   700 mL   300 mL 담기

방법 _____

_____

7 분수 나라 친구들이 놀이터에서 시소를 타고 있어요. 시소는 큰 수 쪽으로 기울어집니다. 빈 곳에 알맞은 분수를 찾아 써넣으세요. 창의·융합

❶

❷

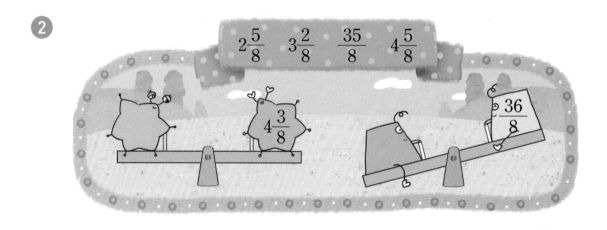

❸

8 운동장에 학생들이 19명 있습니다. 이 학생들이 3개의 텐트에 각각 19명의 $\frac{1}{2}$, $\frac{1}{4}$, $\frac{1}{5}$씩 들어가려고 합니다. 3개의 텐트에 들어가는 학생은 각각 몇 명인지 구하려고 하는데 19명의 $\frac{1}{2}$, $\frac{1}{4}$, $\frac{1}{5}$을 구할 수가 없습니다. 어떻게 해야 할까요? 물음에 답하세요. 창의·융합

① 19명에 가장 가까운 수 중에서 2, 4, 5로 나눌 수 있는 학생 수는 몇 명일까요?

(   )

② 19명을 **①**에서 구한 수로 만들려면 어떻게 해야 할까요?

(   )

③ **①**에서 구한 학생 수를 ★명이라고 하고, ☐ 안에 알맞은 수를 써넣으세요.

> 텐트 ①에 들어가는 학생 수: ★명의 $\frac{1}{2}$인 ☐명
>
> 텐트 ②에 들어가는 학생 수: ★명의 $\frac{1}{4}$인 ☐명
>
> 텐트 ③에 들어가는 학생 수: ★명의 $\frac{1}{5}$인 ☐명
>
> ★명 중 텐트에 들어가고 남은 학생 수: ☐명

④ **③**에서 구한 ★명의 $\frac{1}{2}$, $\frac{1}{4}$, $\frac{1}{5}$을 모두 더해서 처음 19명이 되는지 확인해 보세요.

확인 _____

_____

마지막에 남은 1명은 20명으로 만들기 위해 더했던 1명이므로 1명을 빼면 됩니다.

누구나 **100점** TEST

1 □ 안에 알맞은 수를 써넣으세요.

(1) 20의 $\dfrac{4}{5}$ 는 □ 입니다.

(2) 24의 $\dfrac{5}{8}$ 는 □ 입니다.

2 45를 5씩 묶었을 때, □ 안에 알맞은 수를 써넣으세요.

15는 45의 $\dfrac{3}{□}$ 이고, 35는 45의 $\dfrac{□}{9}$ 입니다.

3 냄비에 물을 가득 채우려면 ㉮, ㉯, ㉰ 컵으로 각각 다음과 같이 부어야 합니다. 들이가 많은 순서대로 컵의 기호를 써넣으세요.

컵	㉮	㉯	㉰
부은 횟수(번)	8	3	6

(   )

4 정현이네 반에서 수영을 배우는 학생은 반 전체의 $\dfrac{1}{6}$ 입니다. 수영을 배우는 학생이 3명일 때 반 전체 학생은 몇 명일까요?

(   )

5 민유는 전체 호두의 $\dfrac{3}{8}$ 을 동생에게 주었습니다. 동생에게 준 호두가 18개일 때, 민유가 처음 가지고 있던 호두는 몇 개일까요?

(   )

6 ● 안에 들어갈 수 있는 자연수를 모두 구해 보세요.

$$1\frac{1}{6} < \frac{●}{6} < \frac{13}{6}$$

(   )

7 딱지를 민우는 30장의 $\frac{5}{6}$ 만큼을 모았고, 정석이는 35장의 $\frac{3}{5}$ 만큼을 모았습니다. 딱지를 누가 더 많이 모았을까요?

(   )

8 조건 에 맞는 분수를 구해 보세요.

> 조건
> • 분모와 분자의 합은 16입니다.
> • 분모와 분자의 차는 6입니다.
> • 가분수입니다.

(   )

9 수 카드 3장을 한 번씩만 사용하여 만들 수 있는 가장 큰 대분수를 가분수로 나타내어 보세요.

3   4   7

(   )

$$1 L \ 1 mL$$

$$1 kg \ 1 g$$

만화로 미리 보기

선생님이 지난 일주일 동안 우리 반 학생들이 도서관에서 빌린 책을 그림그래프로 나타내어 보라고 하셨어.

그런데 그림그래프가 뭐지?

알려고 하는 수 즉, 조사한 수를 그림으로 나타낸 그래프를 그림그래프라고 하지.

그렇군.

말한 대로 조사한 수를 그림그래프로 나타내어 보면

우리 반 학생들은 과학책을 가장 많이 빌린 것을 알 수 있네.

도서관에서 빌린 책

종류	책의 수
동화책	
과학책	
위인전	
백과사전	

📚 10권
📖 1권

가장 적게 빌린 책은 백과사전이야.

그림그래프로 보니 한눈에 알아보기 쉽네.

맞아!

내가 수박씨로 재미있게 해 줄게.

어때? 웃기지?

헤헷~ 재밌겠다. 나도 해 봐야지.

하하하! 정말 웃기다.

들이의 합	들이의 차	무게의 합	무게의 차
$\begin{array}{r} {}^1 \\ 1\text{L }500\text{ mL} \\ +\ 2\text{L }700\text{ mL} \\ \hline 4\text{L }200\text{ mL} \end{array}$	$\begin{array}{r} {}^2\ 1000 \\ \cancel{3}\text{L }600\text{ mL} \\ -\ 1\text{L }900\text{ mL} \\ \hline 1\text{L }700\text{ mL} \end{array}$	$\begin{array}{r} {}^1 \\ 3\text{kg }600\text{ g} \\ +\ 2\text{kg }500\text{ g} \\ \hline 6\text{kg }100\text{ g} \end{array}$	$\begin{array}{r} {}^3\ 1000 \\ \cancel{4}\text{kg }300\text{ g} \\ -\ 2\text{kg }400\text{ g} \\ \hline 1\text{kg }900\text{ g} \end{array}$
1 L = 1000 mL 임을 이용하여 받아올림과 받아내림을 합니다.		1 kg = 1000 g 임을 이용하여 받아올림과 받아내림을 합니다.	

확인 문제

1-1 ☐ 안에 알맞은 수를 써넣으세요.

(1) 2 L 500 mL = ☐ mL

(2) 4 kg 800 g = ☐ g

한번 더

1-2 ☐ 안에 알맞은 수를 써넣으세요.

(1) 8700 mL = ☐ L ☐ mL

(2) 3200 g = ☐ kg ☐ g

2-1 계산해 보세요.

(1)
$$\begin{array}{r} 3\text{ L}\quad 600\text{ mL} \\ +\ 4\text{ L}\quad 500\text{ mL} \\ \hline \end{array}$$

(2)
$$\begin{array}{r} 5\text{ kg}\quad 700\text{ g} \\ +\ 2\text{ kg}\quad 900\text{ g} \\ \hline \end{array}$$

2-2 계산해 보세요.

(1)
$$\begin{array}{r} 5\text{ L}\quad 100\text{ mL} \\ -\ 1\text{ L}\quad 300\text{ mL} \\ \hline \end{array}$$

(2)
$$\begin{array}{r} 3\text{ kg}\quad 200\text{ g} \\ -\ 1\text{ kg}\quad 600\text{ g} \\ \hline \end{array}$$

교과 내용 확인하기

▶정답 및 해설 25쪽

• **표와 그림그래프의 비교**

각 마을에 사는 학생 수

마을	가	나	다	합계
학생 수(명)	14	22	16	52

표를 보면 각 항목별 수량과 합계를 알 수 있어.

각 마을에 사는 학생 수

마을	학생 수
가	☺ ◦◦◦◦
나	☺ ☺ ◦◦
다	☺ ◦◦◦◦◦◦

☺10명 ◦1명

그림그래프를 보면 자료의 수를 한 눈에 비교하기 쉬워.

확인 문제

3-1 학생들이 좋아하는 악기를 조사하여 표로 나타내었습니다. 물음에 답하세요.

학생들이 좋아하는 악기

악기	피아노	기타	플루트	합계
학생 수(명)	22	25	13	60

(1) 피아노를 좋아하는 학생은 [ ]명 이고, 플루트를 좋아하는 학생은 [ ]명입니다.

(2) 그림그래프를 완성해 보세요.

학생들이 좋아하는 악기

악기	학생 수
피아노	👤👤 👥👥
기타	👤👤 👥👥👥👥👥
플루트	

👤10명 👥1명

한번 더

3-2 학생들이 좋아하는 채소를 조사하여 표로 나타내었습니다. 물음에 답하세요.

학생들이 좋아하는 채소

채소	오이	가지	당근	합계
학생 수(명)	23	12	16	51

(1) 가장 많은 학생이 좋아하는 채소는 [ ]이고, 가장 적은 학생이 좋아하는 채소는 [ ]입니다.

(2) 그림그래프를 완성해 보세요.

학생들이 좋아하는 채소

채소	학생 수
오이	
가지	👤 👥👥
당근	👤 👥👥👥👥👥👥

👤10명 👥1명

1 그릇의 눈금 읽기

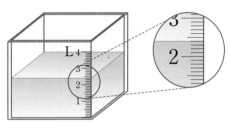

① 그릇의 단위 알아보기: L

② L 읽기: 2 L보다 많으므로 2 L

③ mL 읽기: 1 L 사이가 작은 눈금 10칸으로 나누어져 있으므로 작은 눈금 한 칸은 100 mL입니다. 작은 눈금 4칸이므로 400 mL입니다.

➡ 2 L 400 mL

활동 문제 그릇에 들어 있는 물의 양을 구해 보세요.

2 물의 양을 같게 만들기

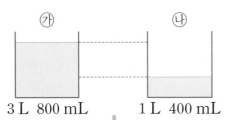

① 물의 양의 차를 구합니다.

$$3\text{ L }800\text{ mL}-1\text{ L }400\text{ mL}=2\text{ L }400\text{ mL}$$

② 차의 반만큼 양이 적은 수조로 옮깁니다.

2 L 400 mL의 반 ➡ 1 L 200 mL

$2\div2=1\text{ (L)},\ 400\div2=200\text{ (mL)}$

➡ ㉮ 수조의 물 1 L 200 mL를 ㉯ 수조로 옮기면 물의 양이 같아집니다.

4주
1일

활동 문제　두 수조의 물의 양을 같게 하려면 옮겨야 하는 물의 양은 얼마인지 구해 보세요.

물의 양의 차　　　　옮겨야 하는 물의 양

❶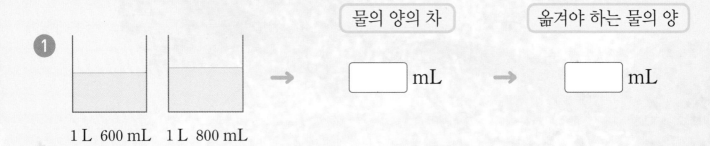

□ mL ➡ □ mL

1 L 600 mL　1 L 800 mL

❷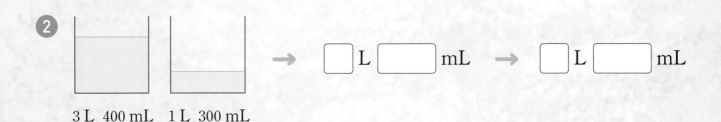

□ L □ mL ➡ □ L □ mL

3 L 400 mL　1 L 300 mL

❸

□ L □ mL ➡ □ L □ mL

3 L 900 mL　1 L 100 mL

1-1 정범이는 다음과 같이 물이 들어 있는 수조에 2900 mL의 물을 부었습니다. 물은 몇 L 몇 mL가 될까요?

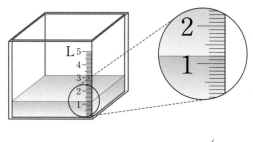

(   )

① 그릇의 단위는 L입니다. 큰 눈금과 작은 눈금의 크기를 알아봅니다.

② 수조에는 물이 1 L에서 작은 눈금 2칸만큼 더 있습니다.

    이것을 몇 L 몇 mL로 나타냅니다.

③ 물의 양에 2900 mL＝2 L 900 mL를 더합니다.

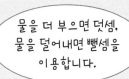

물을 더 부으면 덧셈,
물을 덜어내면 뺄셈을
이용합니다.

1-2 민아는 다음과 같이 물이 들어 있는 수조에서 1900 mL의 물을 덜어냈습니다. 수조에 남아 있는 물은 몇 L 몇 mL가 될까요?

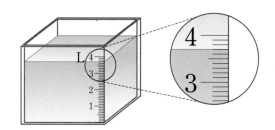

(1) 처음 수조에 들어 있는 물은 몇 L 몇 mL일까요?

(   )

(2) 1900 mL는 몇 L 몇 mL일까요?

(   )

(3) 수조에 남아 있는 물은 몇 L 몇 mL가 될까요?

(   )

2-1 가 어항에는 물이 5 L 700 mL 들어 있고, 나 어항에는 물이 2 L 800 mL 들어 있습니다. 두 어항의 물의 양이 같아지려면 어느 어항에서 어느 어항으로 물을 몇 L 몇 mL 옮겨야 할까요?

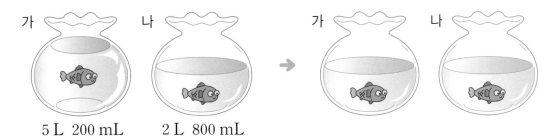

가   나   →   가   나

5 L 200 mL   2 L 800 mL

_____

- 구하려는 것: 어느 어항에서 어느 어항으로 물을 몇 L 몇 mL 옮겨야 하는지 구하기
- 주어진 조건: 가 어항에 있는 물의 양: 5 L 700 mL, 나 어항에 있는 물의 양: 2 L 800 mL
- 해결 전략: ❶ 두 어항에 들어 있는 물의 양의 차 구하기
  ❷ ❶에서 구한 물의 양을 반으로 나누기
  ❸ 어느 어항에서 어느 어항으로 물을 얼마나 옮겨야 하는지 써 보기

4주
1일

✏️ 구하려는 것(〜〜)과 주어진 조건(———)에 표시해 봅니다.

2-2 가 어항에는 물이 1 L 500 mL 들어 있고, 나 어항에는 물이 3 L 300 mL 들어 있습니다. 두 어항의 물의 양이 같아지려면 어느 어항에서 어느 어항으로 물을 몇 L 몇 mL 옮겨야 할까요?

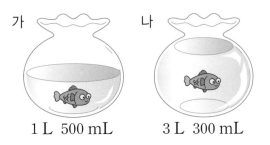

가   나

1 L 500 mL   3 L 300 mL

해결 전략

물의 양의 차를 반으로 나눕니다.

_____

1 양동이와 주전자 중 어느 것의 들이가 몇 mL 더 많을까요?

문제 해결

2 L 500 mL   1 L 800 mL

양동이   주전자

(   ), (   )

2 노란색 페인트 1 L 300 mL와 파란색 페인트 1 L 600 mL를 섞어서 초록색 페인트를 만들려고 합니다. 초록색 페인트는 모두 몇 L 몇 mL가 될까요?

창의 · 융합

(   )

3 들이가 5 L 500 mL인 수조에 물이 다음과 같이 들어 있습니다. 물을 몇 L 몇 mL 더 부으면 수조에 물이 가득 찰까요?

문제 해결

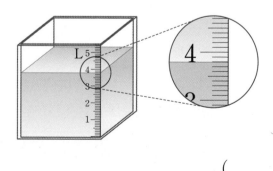

(   )

▶정답 및 해설 26쪽

4
(코딩)

화살표 약속에 따라 빈칸에 알맞은 들이를 써넣으세요.

화살표의 약속	
➡	+100 mL
⬅	−100 mL
⬇	+1 L
⬆	−1 L

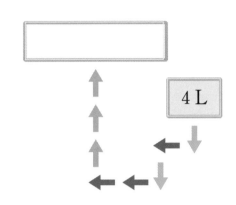

4 L

5
(창의 · 융합)

옛날에는 물건을 교환할 때 한 뼘의 길이, 손바닥만한 크기 등 우리 몸을 기준으로 단위를 썼습니다. 단위가 서로 달라 불편한 점이 많아서 단위를 통일하려고 많은 노력을 하였습니다. 우리나라의 단위들 중에 말, 되, 홉은 곡식, 가루, 액체 등을 재는 단위입니다. 나무로 만든 그릇인데 홉이 제일 작고 홉의 10배가 되, 되의 10배가 말입니다. 물음에 답하세요.

1말=약 18 L

1되=약 1 L 800 mL

1홉=약 180 mL

(1) 쌀이 1말 4되가 있다면 약 몇 L 몇 mL일까요?

(   )

(2) 꿀이 3되 5홉이 있다면 약 몇 L 몇 mL일까요?

(   )

> <같은 들이를 여러 번 더할 경우
> 계산을 쉽게 하는 방법>
> 예 2 L 300 mL를 5번 더하기
> = 2 L 300 mL의 5배
> = (2×5)L (300×5)mL
> = 10 L 1500 mL
> = 11 L 500 mL

1 저울의 눈금 읽기

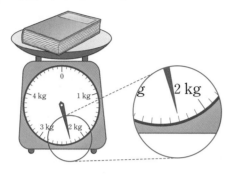

① 저울의 단위 알아보기: kg

② kg 읽기: 2 kg보다 많으므로 2 kg

③ g 읽기: 1 kg 사이가 작은 눈금 10칸으로 나누어
져 있으므로 작은 눈금 한 칸은 100 g입니다. 작
은 눈금은 3칸이므로 300 g입니다.

➔ 2 kg 300 g

활동 문제 사다리를 타고 내려가 저울이 나타낸 무게는 몇 kg 몇 g인지 써 보세요.

▶정답 및 해설 26쪽

2 더 무거운 물건 찾기(단, 같은 과일끼리는 무게가 같습니다.)

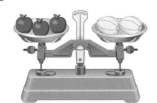

① 🍎 3개의 무게와 🥥 2개의 무게가 같으므로

$$🍎 \text{ 1개의 무게 } < 🥥 \text{ 1개의 무게}$$

② 🍎 1개의 무게가 200 g이라면 🥥 2개의 무게는 $200+200+200=600$ (g)입니다.

따라서 🥥 1개의 무게는 600 g의 절반인 $600÷2=300$ (g)입니다.

참고 윗접시 저울의 양쪽에 같은 것을 더하거나 빼도 양쪽의 무게가 같습니다.

활동 문제 물건 하나의 무게가 더 무거운 것에 ○표 하세요. (단, 같은 종류의 물건끼리는 무게가 같습니다.)

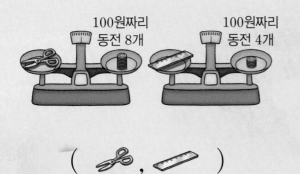

100원짜리 동전 8개   100원짜리 동전 4개

(✂️ , 📏)

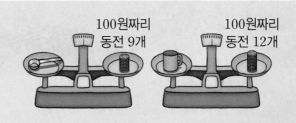

100원짜리 동전 9개   100원짜리 동전 12개

(🥄 , ☕)

귤 3개   바나나 2개

(🍊 , 🍌)

키위 2개   방울토마토 5개

(🥝 , 🍅)

1-1 감 2개의 무게를 재었더니 다음과 같았습니다. 감 1개의 무게는 몇 g인지 구해 보세요.

(단, 감의 무게는 같습니다.)

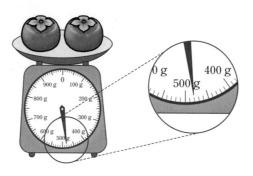

(   )

① 저울의 눈금은 100 g, 200 g, 300 g …… 단위로 되어 있고, 작은 눈금 한 칸의 크기는 10 g입니다.

② 감 2개의 무게는 400 g보다 8칸 더 무겁습니다.

③ 감 1개의 무게를 구합니다.

1-2 배 3개의 무게를 재었더니 다음과 같았습니다. 배 1개의 무게는 몇 g인지 풀이 과정을 완성하고 답을 구해 보세요. (단, 배의 무게는 같습니다.)

풀이 큰 눈금 한 칸의 크기는 100 g이므로 작은 눈금 한 칸의 크기는 ☐ g입니다.

배 3개의 무게를 저울로 알아보면 ☐ (g , kg)입니다.

따라서 배 1개의 무게는 ☐ ÷3= ☐ (g , kg)입니다.

답 _____

2-1 저울을 보고 지우개 1개의 무게가 20 g일 때, 필통 1개의 무게는 몇 g인지 구해 보세요. (단, 같은 종류의 물건끼리는 무게가 같습니다.)

지우개 3개　　가위 2개

가위 1개
지우개 1개　　필통

(　　　　　　　　　)

4주
2일

- 구하려는 것: 필통 1개의 무게
- 주어진 조건: ① (지우개 3개의 무게)＝(가위 2개의 무게)
  ② (가위 1개의 무게＋지우개 1개의 무게)＝(필통 1개의 무게)
- 해결 전략: ❶ 지우개 3개의 무게를 이용하여 가위 1개의 무게를 구합니다.
  ❷ 가위 1개의 무게와 지우개 1개의 무게를 더합니다.

✎ 구하려는 것(〰〰)과 주어진 조건(──)에 표시해 봅니다.

2-2 저울을 보고 복숭아 1개의 무게가 400 g일 때, 파인애플 1개의 무게는 몇 kg 몇 g인지 구해 보세요. (단, 같은 종류의 과일끼리는 무게가 같습니다.)

복숭아 5개　　바나나 4개

복숭아 2개
바나나 1개　　파인애플

해결 전략

❶ 바나나 1개의 무게 구하기
❷ 복숭아 2개와 바나나 1개의 무게의 합 구하기

(　　　　　　　　　)

1 창의·융합

전자저울이 나타내는 무게는 몇 kg 몇 g일까요?

(1)

☐ kg ☐ g

잠깐! 먼저 읽어 보세요.

1 kg＝1000 g

100 g

1 kg을 똑같이 10으로 나눈 것 중의 1이 100 g이므로 0.1 kg=100 g, 0.2 kg=200 g, 0.3 kg=300 g……
입니다.

(2)
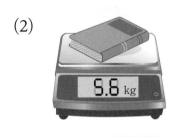

☐ kg ☐ g

(3)

☐ kg ☐ g

2 문제 해결

저울을 보고 포도 1송이와 바나나 1송이의 무게의 합은 몇 kg 몇 g인지 구해 보세요.
(단, 같은 종류의 과일끼리는 무게가 같습니다.)

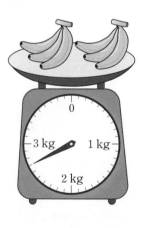

(   )

3
창의·융합

윗접시 저울에 여러 가지 모양의 추를 올려 놓았습니다. ⧗가 10 g일 때 나머지 추의 무게를 구해 보세요. (단, 같은 종류의 추끼리는 무게가 같습니다.)

(1)

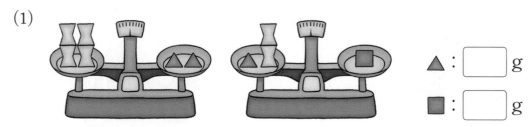

▲ : ☐ g

■ : ☐ g

(2)

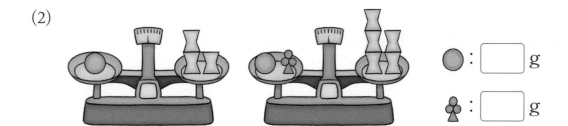

● : ☐ g

♣ : ☐ g

(3)

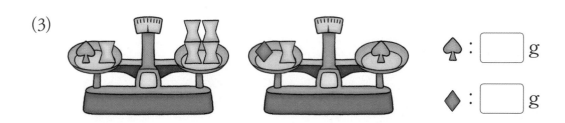

♠ : ☐ g

◆ : ☐ g

1 물건을 넣거나 뺐을 때의 무게

- 물건을 넣는 경우 ➡ 덧셈

책: 350 g

빈 가방: 1 kg 850 g

➡ 가방에 책을 넣었을 때의 무게:

1 kg 850 g ＋ 350 g ＝ 2 kg 200 g

- 물건을 빼는 경우 ➡ 뺄셈

책: 350 g

책을 넣은 가방: 2 kg 200 g

➡ 책을 넣은 가방에서 책을 뺐을 때의 무게:

2 kg 200 g － 350 g ＝ 1 kg 850 g

활동 문제 그림을 보고 식을 세워 보세요.

1

아령을 넣은 가방

1 kg

빈 가방의 무게?

3 kg 200 g

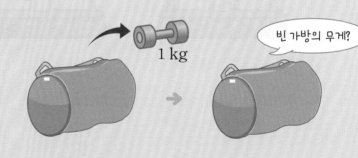

빈 가방의 무게: 3 kg 200 g (＋ , －) ☐ kg ＝ ☐ kg ☐ g

2

빈 상자

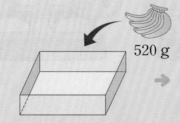

520 g

바나나를 넣은 상자의 무게?

250 g

바나나를 넣은 상자의 무게: ☐ g (＋ , －) ☐ g ＝ ☐ g

2 부분의 무게 구하기

◯, ▢, ▲의 무게의 합 ➡ 6 kg

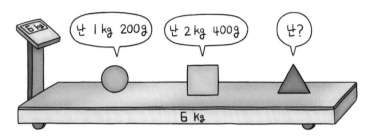

▲의 무게는 (◯, ▢, ▲)의 무게의 합에서 (◯, ▢)의 무게의 합을 빼면 됩니다.

① ◯와 ▢의 무게의 합: 1 kg 200 g＋2 kg 400 g＝3 kg 600 g

② ▲의 무게: 6 kg－3 kg 600 g＝2 kg 400 g

4주
3일

활동 문제 그림을 보고 ?의 무게를 구해 보세요.

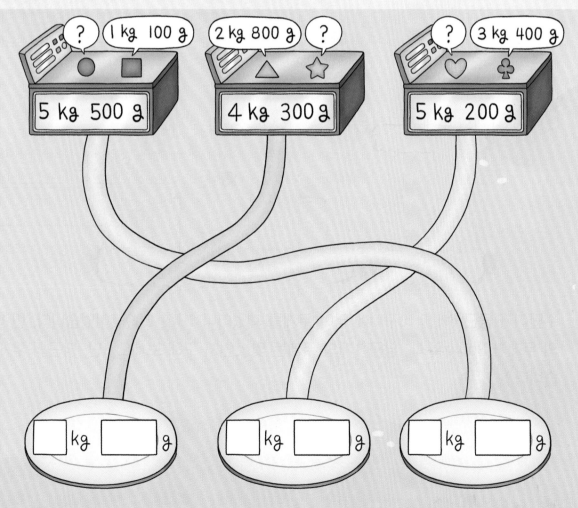

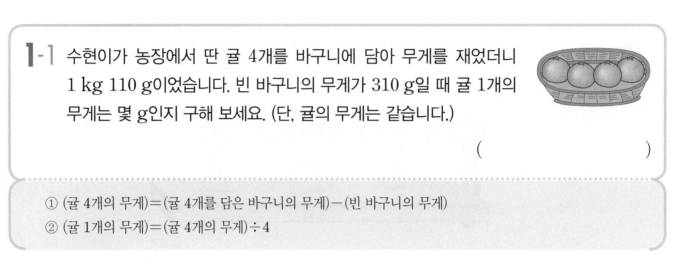

1-1 수현이가 농장에서 딴 귤 4개를 바구니에 담아 무게를 재었더니 1 kg 110 g이었습니다. 빈 바구니의 무게가 310 g일 때 귤 1개의 무게는 몇 g인지 구해 보세요. (단, 귤의 무게는 같습니다.)

(   )

① (귤 4개의 무게)=(귤 4개를 담은 바구니의 무게)−(빈 바구니의 무게)
② (귤 1개의 무게)=(귤 4개의 무게)÷4

1-2 민혁이가 농장에서 딴 사과 3개를 바구니에 담아 무게를 재었더니 1 kg 90 g이었습니다. 빈 바구니의 무게가 400 g일 때 사과 1개의 무게는 몇 g인지 구해 보세요.

(단, 사과의 무게는 같습니다.)

(1) 사과 3개의 무게를 구하는 식을 쓰고 답을 구해 보세요.

식 ☐ kg ☐ g − ☐ g = ☐ g

답 _____

(2) 사과 1개의 무게를 구하는 식을 쓰고 답을 구해 보세요.

식 ☐ ÷ ☐ = ☐ (g)

답 _____

1-3 수민이가 당근 6개를 바구니에 담아 무게를 재었더니 1 kg 200 g이었습니다. 빈 바구니의 무게가 300 g일 때, 당근 1개의 무게는 몇 g인지 구해 보세요. (단, 당근의 무게는 같습니다.)

(   )

2-1 순정, 민수, 정민이의 몸무게의 합은 95 kg 200 g입니다. 순정이의 몸무게는 28 kg 500 g, 민수의 몸무게는 30 kg 900 g일 때, 정민이의 몸무게는 몇 kg 몇 g일까요?

순정   민수   정민

95 kg 200 g

(   )

- 구하려는 것: 정민이의 몸무게
- 주어진 조건: 순정, 민수, 정민이의 몸무게의 합: 95 kg 200 g,
  순정이의 몸무게: 28 kg 500 g, 민수의 몸무게: 30 kg 900 g
- 해결 전략: 세 명의 몸무게의 합에서 순정이와 민수의 몸무게의 합을 뺍니다.

✎ 구하려는 것(〜〜)과 주어진 조건(──)에 표시해 봅니다.

2-2 동우, 현석, 수아의 몸무게의 합은 84 kg 200 g입니다. 동우의 몸무게는 29 kg 200 g, 현석이의 몸무게는 31 kg 400 g일 때, 수아의 몸무게는 몇 kg 몇 g일까요?

해결 전략

세 명의 몸무게의 합에서 동우와 현석이의 몸무게의 합을 뺍니다.

(   )

2-3 사과, 배, 감의 무게를 표로 나타내려고 합니다. 세 과일의 무게의 합은 3 kg 730 g입니다. 감의 무게는 몇 kg 몇 g인지 표에 써넣으세요.

과일	사과 🍎	배 🍐	감 🫐
무게	1 kg 700 g	850 g	

1
문제 해결

무게가 650 g인 그릇에 물을 가득 담아 무게를 재어 보니 1 kg 420 g이었습니다. 물의 무게는 몇 g일까요?

(   )

 2
문제 해결

무게가 3 t인 트럭에 무게가 같은 상자 2개를 실었더니 4 t이 되었습니다. 트럭에 실은 상자 1개의 무게는 몇 kg일까요?

(   )

 3
코딩

화살표 약속에 따라 빈칸에 알맞은 무게를 써넣으세요.

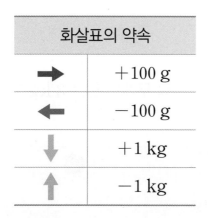

화살표의 약속	
➡	+100 g
⬅	−100 g
⬇	+1 kg
⬆	−1 kg

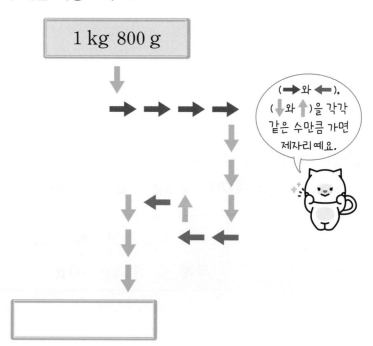

1 kg 800 g

(➡와 ⬅), (⬇와 ⬆)을 각각 같은 수만큼 가면 제자리예요.

4 민우 어머니는 설탕과 소금을 사려고 시장에 갔습니다. 설탕과 소금을 같은 무게로 사려면 소금을 몇 봉지 사야 할까요?

장 볼 물건

물건	1봉지의 무게	수량
설탕	1 kg 200 g	1
소금	300 g	

( )

 5 아버지가 탈 비행기는 가방의 무게가 20 kg을 넘으면 가방을 가지고 탈 수 없습니다. 아버지는 무게가 1 kg 200 g인 가방에 다음과 같은 물건을 담았습니다. 아버지가 가방을 가지고 비행기를 타려면 가방에 짐을 몇 kg 몇 g까지 더 담을 수 있을까요?

물건	책	옷	신발
무게	2 kg 900 g	5 kg 800 g	900 g

( )

1 표를 보고 내용 알아보기

학생들이 좋아하는 계절

계절	봄	여름	가을	겨울	합계
남학생 수(명)	7	8	4	10	29
여학생 수(명)	12	9	5	8	34

예 겨울을 좋아하는 남학생 수 찾기

➡ 표에서 겨울과 남학생이 만나는 곳을 찾아보면 10명입니다.

봄을 좋아하는 여학생 수 찾기

➡ 표에서 봄과 여학생이 만나는 곳을 찾아보면 12명입니다.

활동 문제 위 표에 대한 바른 설명을 따라가서 다람쥐의 집을 찾아 주세요.

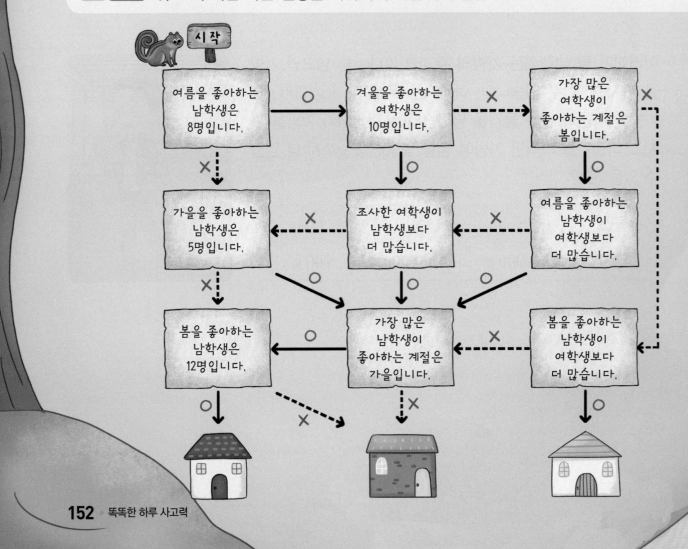

2 조건에 맞게 표 완성하기

조건

① 🍊를 좋아하는 학생은 🍎를 좋아하는 학생보다 3명 더 많습니다.

② 🍌를 좋아하는 학생 수와 🍇를 좋아하는 학생 수는 같습니다.

학생들이 좋아하는 과일

과일	🍊	🍎	🍌	🍈	🍇	합계
학생 수(명)		5		7		30

①에 따라 🍊＝5＋3＝8(명)

(🍌＋🍇)는 합계에서 (🍊, 🍎, 🍈)를 뺍니다. ➡ 🍌＋🍇＝30－20＝10(명)

②에 따라 10은 5와 5로 똑같이 가를 수 있으므로

🍌＝5명, 🍇＝5명입니다.

활동 문제 표를 완성해 보세요.

1

배우고 싶은 운동별 학생 수

운동	수영	야구	농구	축구	합계
학생 수(명)	8	10		7	36

2

마을별 병원 수

마을	사랑	소망	믿음	우정	합계
병원 수(개)	16	14	15		62

1-1 민정이네 반 학생들의 혈액형을 조사하여 표로 나타내었습니다. 가장 많은 학생의 혈액형은 무엇일까요?

혈액형별 학생 수

혈액형	A	B	O	AB	합계
남학생 수(명)	3	2	5	2	12
여학생 수(명)	6	4	3	1	14

(   )

① 혈액형별로 남학생 수와 여학생 수의 합을 구합니다.
② 가장 많은 학생의 혈액형을 구합니다.

1-2 석현이네 학교 3학년 학생들이 좋아하는 주스를 조사하여 표로 나타내었습니다. 가장 많은 학생이 좋아하는 주스는 무엇인지 풀이 과정을 완성하고 답을 구해 보세요.

학생들이 좋아하는 주스

주스	사과	오렌지	포도	토마토	합계
여학생 수(명)	15	16	16	8	55
남학생 수(명)	17	20	8	12	57

풀이 각 주스별로 좋아하는 학생 수를 세어 보면 사과주스는 □명, 오렌지주스는

□명, 포도주스는 □명, 토마토주스는 □명입니다.

따라서 가장 많은 학생이 좋아하는 주스는 □주스입니다.

답 _____

독해력 길잡이

▶정답 및 해설 29쪽

2-1 조건 에 맞게 표를 완성해 보세요.

> **조건**
>
> 짜장면을 좋아하는 학생은 떡볶이를 좋아하는 학생보다 1명 더 많습니다.

학생들이 좋아하는 음식

음식	짜장면	짬뽕	피자	치킨	떡볶이	합계
학생 수(명)		5	7	6		27

- 구하려는 것: 짜장면을 좋아하는 학생 수, 떡볶이를 좋아하는 학생 수
- 주어진 조건: ① 짜장면을 좋아하는 학생은 떡볶이를 좋아하는 학생보다 1명 더 많습니다.
  ② 좋아하는 음식별 학생 수가 짬뽕은 5명, 피자는 7명, 치킨은 6명이고 합계는 27명입니다.
- 해결 전략: ❶ 짜장면과 떡볶이를 좋아하는 학생 수의 합을 구합니다.
  ❷ ❶에서 구한 수가 □+1, □가 되도록 두 수로 갈라서 짜장면, 떡볶이를 좋아하는 학생 수를 각각 구합니다.

✎ 구하려는 것(〜〜)과 주어진 조건(───)에 표시해 봅니다.

2-2 조건 에 맞게 표를 완성해 보세요.

> **조건**
>
> • 은행나무 수는 단풍나무 수의 $\frac{1}{2}$입니다.
> • 소나무는 감나무보다 6그루 더 많습니다.

> ◀ **해결 전략** ▶
>
> 소나무와 감나무의 합을 차가 6이 되도록 두 수로 가릅니다.

학교에 있는 나무 수

나무	소나무	은행나무	단풍나무	매실나무	감나무	합계
나무 수(그루)			6	4		25

4일 사고력 · 코딩

1 정현이네 반 학생들이 태어난 계절을 조사하였습니다. 물음에 답하세요.

문제 해결

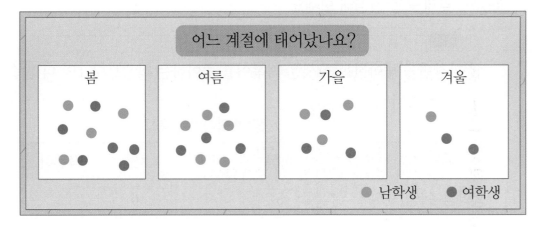

어느 계절에 태어났나요?

봄	여름	가을	겨울

● 남학생   ● 여학생

(1) 자료를 보고 표를 완성해 보세요.

태어난 계절

계절	봄	여름	가을	겨울	합계
남학생 수(명)	4				
여학생 수(명)					

(2) 이 조사를 바탕으로 학급 신문에 실린 글입니다. □ 안에 알맞은 수나 말을 써넣으세요.

정현이네 반 학생들이 태어난 계절을 조사하였습니다.

조사 결과 가장 많은 학생이 태어난 계절은 □ 입니다.

가장 많은 학생이 태어난 계절과 가장 적은 학생이 태어난 계절의 학생 수의 차는 □ 명입니다.

조사에 참여해 준 □ 명의 학생들에게 감사의 마음을 전합니다.

2
추론

운동회에서 하고 싶은 경기를 조사한 자료가 찢어졌습니다. 남아 있는 자료와 조건 을 이용하여 문제를 해결해 보세요.

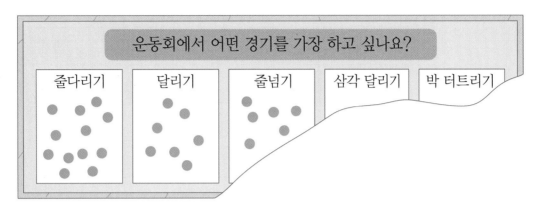

조건

- 줄넘기를 하고 싶은 학생은 달리기를 하고 싶은 학생보다 더 적습니다.
- 삼각 달리기를 하고 싶은 학생은 박 터트리기를 하고 싶은 학생보다 2명 더 많습니다.

(1) 표를 완성해 보세요.

운동회에서 하고 싶은 경기

경기	줄다리기	달리기	줄넘기	삼각 달리기	박 터트리기	합계
학생 수(명)	12	7				53

(2) 시간이 부족하여 5개의 경기 중 한 경기를 빼야 한다면 어느 경기를 빼는 것이 좋을까요? 이유도 써 보세요.

(   )

이유 _____

_____

1 표와 그림그래프 완성하기

과수원별 포도 생산량

과수원	사랑	소망	희망	합계
생산량(상자)	15			59

과수원별 포도 생산량

과수원	포도 생산량
사랑	
소망	▶ ▶ ▶ ▶ ▶
희망	

> 10상자 그림 2개,
> 1상자 그림 3개가 있으므로
> 23상자예요.

▶ 10상자
▶ 1상자

① 표와 그림그래프에 있는 과수원 생산량을 표와 그림그래프 양쪽에 나타내기
② 합계를 이용하여 나머지 과수원의 생산량 구하기
③ 표와 그림그래프 완성하기

활동 문제　위 표와 그림그래프를 완성해 보세요.

1 표에서 알 수 있는 사랑 과수원의 생산량을 그림그래프에, 그림그래프에서 알 수 있는 소망 과수원의 생산량을 표에 나타내어 보세요.

2 표의 합계를 이용하여 희망 과수원의 생산량을 표에 나타내어 보세요.

3 희망 과수원의 생산량을 그림그래프에 나타내어 보세요.

▶정답 및 해설 29쪽

❷ 그림그래프에서 그림이 나타내는 수 알아보기

- 사과를 좋아하는 학생 수와 배를 좋아하는 학생 수의 차는 10명입니다.
- 사과를 좋아하는 학생 수와 귤을 좋아하는 학생 수의 차는 1명입니다.

좋아하는 과일

과일	학생 수
사과	☺ ☺ ☺ ☺ ☺
귤	☺ ☺ ☺ ☺ ☺ ☺
배	☺ ☺ ☺ ☺

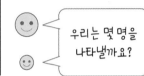

우리는 몇 명을 나타낼까요?

- 사과와 배의 그림 수의 차는 큰 그림 1개이므로 큰 그림은 10명을 나타냅니다.
- 사과와 귤의 그림 수의 차는 작은 그림 1개이므로 작은 그림은 1명을 나타냅니다.

활동 문제 그림그래프에서 그림이 나타내는 수를 ☐ 안에 써넣으세요.

1 학급 문고의 종류

종류	책의 수
동화책	📕 📕
과학책	📕
위인전	📕 📕 📕

과학책과 위인전 수의 차는 20권입니다.

 ☐ 권

2 좋아하는 민속놀이

민속놀이	학생 수
씨름	🧍 🧍
제기차기	🧍 🧍 🧍 🧍
널뛰기	🧍

제가차기와 널뛰기를 좋아하는 학생 수의 합은 25명입니다.

 ☐ 명

1-1 재우네 마트에서 일주일 동안 팔린 아이스크림을 조사하여 나타낸 표와 그림그래프입니다. 표와 그림그래프를 완성해 보세요.

일주일 동안 팔린 아이스크림 수

종류	바닐라	딸기	초코	합계
아이스크림 수(개)		25		87

일주일 동안 팔린 아이스크림 수

종류	아이스크림 수
바닐라	🍦🍦🍦
딸기	
초코	

🍦 10개
🍦 1개

① 표와 그림그래프에서 알게 된 개수를 표와 그림그래프 양쪽에 나타냅니다.
② 표의 합계를 이용하여 초코의 수를 구하면 (87−30−25)개입니다.

1-2 마을별 심은 나무 수를 조사하여 나타낸 표와 그림그래프입니다. 표와 그림그래프를 완성해 보세요.

마을별 심은 나무 수

마을	햇살	초록	푸른	합계
나무 수 (그루)			240	600

마을별 심은 나무 수

마을	햇살	초록	푸른
나무 수 (그루)		🌳🌳🌳🌳🌳🌳	

🌳 100그루　🌲 10그루

2-1

과수원별 수확한 사과 수를 조사하여 나타낸 그림그래프입니다. 행복 과수원과 사랑 과수원의 사과 수의 차는 16상자이고, 사랑 과수원과 우정 과수원의 사과 수의 차는 3상자입니다. 그림그래프에서 그림이 나타내는 수를 ☐ 안에 써넣으세요.

수확한 사과 수

과수원	사과　수
행복	🍎🍎🍎🍎 🍎🍎
사랑	🍎🍎 🍎🍎
우정	🍎🍎 🍎🍎🍎🍎🍎

🍎 ☐상자

🍎 ☐상자

- 구하려는 것: 그림이 나타내는 수
- 주어진 조건: 행복 과수원과 사랑 과수원의 사과 수의 차는 16상자, 사랑 과수원과 우정 과수원의 사과 수의 차는 3상자, 과수원별 수확한 사과 수를 나타낸 그림그래프
- 해결 전략: ❶ 행복 과수원과 사랑 과수원의 그림의 차와 실제 상자 수의 차를 이용하여 큰 그림이 나타내는 수를 구합니다.
  ❷ 사랑 과수원과 우정 과수원의 그림의 차와 실제 상자 수의 차를 이용하여 작은 그림이 나타내는 수를 구합니다.

✎ 구하려는 것(〰)과 주어진 조건(──)에 표시해 봅니다.

2-2

세 지역의 초등학교 수를 나타낸 그림그래프입니다. 가 지역과 나 지역의 초등학교 수의 차는 3개, 가 지역과 다 지역의 초등학교 수의 차는 9개입니다. 그림그래프에서 그림이 나타내는 수를 ☐ 안에 써넣으세요.

지역별 초등학교 수

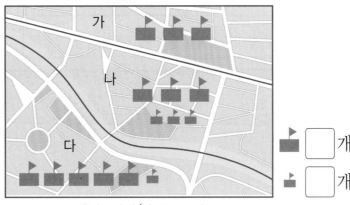

©elenabsl / shutterstock

1 창의 · 융합

우리 동네 가게에서 이번 달에 팔린 막대 사탕 수를 조사하여 나타낸 그림그래프입니다. 상큼 가게에서는 가장 많이 팔린 가게보다 12상자 적게 팔렸습니다. 그림그래프를 완성해 보세요.

팔린 막대 사탕 수

가게	막대 사탕 수
달콤	🍭🍭🍭 🍬🍬
상큼	
새콤	🍭🍭🍭 🍬🍬🍬🍬🍬
달달	🍭🍭 🍬🍬🍬🍬🍬🍬

🍭 10상자
🍬 1상자

2 창의 · 융합

학생들이 좋아하는 꽃을 조사하여 그림그래프로 나타내었습니다. 한 학생당 좋아하는 꽃을 3송이씩 나누어 주려고 합니다. 장미, 튤립, 국화는 각각 몇 송이씩 필요할까요?

학생들이 좋아하는 꽃

꽃	학생 수
장미	🌹🌹 🌼🌼🌼🌼🌼🌼
튤립	🌿 🌿🌿🌿🌿🌿🌿🌿
국화	🌸🌸 🌼🌼🌼🌼

큰 그림: 10명
작은 그림: 1명

🌹 [　] 송이   🌿 [　] 송이   🌸 [　] 송이

3
문제 해결

생선 가게에서 하루 동안 팔린 생선 수를 조사하여 그림그래프로 나타내었습니다. 4종류의 생선 판매량의 합은 110마리입니다. 그림그래프를 완성해 보세요.

하루 동안 팔린 생선 수

종류	팔린 생선 수
고등어	◁◯• ◁◯• ◁◯•
갈치	◁◯• ◁◯• ◁◯• ◁◯• ◁◯• ◁◯• ◁◯•
가자미	◁◯• ◁◯• ◁◯• ◁◯ ◁◯ ◁◯ ◁◯ ◁◯
꽁치	

> 각 종류별로 생선 수를 셀 수도 있고, 10마리 그림과 1마리 그림을 각각 합쳐서 세어 구할 수도 있어요.

◁◯• 10마리

◁◯ 1마리

 4
추론

회사 3곳의 이번 달 야구공 판매량을 조사하여 나타낸 그림그래프입니다. 가 회사의 판매량은 120상자이고, 다 회사의 판매량은 100상자입니다. 나 회사는 다 회사보다 판매량이 31상자 적습니다. 그림그래프의 그림이 나타내는 수를 ☐ 안에 써넣으세요.

회사별 이번 달 야구공 판매량

회사	판매량
가	⚾ ⚾ ⚾ ⚾
나	⚾ ⚾ ⚾ ⚪
다	⚾ ⚾ ⚾ ⚾ ⚪ ⚪

⚾ ☐ 상자

⚪ ☐ 상자

⚬ ☐ 상자

1 글을 읽고 맞는 답을 찾아 미로를 빠져 나가 보세요. 창의·융합

2 비밀의 문 6개가 있습니다. 문 앞에 붙어 있는 내용이 맞는 문 안에는 보물이 있고 내용이 틀린 문 안에는 괴물이 있습니다. 보물이 있는 문을 모두 찾아 ○표 하세요. 문제 해결

3 나귀는 무게가 8 kg 300 g인 소금을 싣고 가다가 잘못하여 물에 빠졌습니다. 물에서 나오니 소금의 무게가 3 kg 600 g으로 줄어들었습니다. 물에 녹은 소금의 양은 몇 kg 몇 g일까요? 창의·융합

(　　　　　　　　　　　　　　)

4 성근이네 반은 회장 선거를 하였습니다. 투표 결과는 다음과 같은데 실수로 김건우 부분이 지워졌습니다. 성근이네 반은 모두 24명이고 투표를 하지 않은 학생은 없습니다. 표를 완성하고, 회장은 누가 됐는지 써 보세요. 문제 해결

득표 수

후보	민정희	김건우	손승아	유정철	합계
득표 수(표)	5				

(　　　　　　　　　　　　　　)

5 우리나라는 옛날부터 '근', '관', '돈' 등의 무게를 나타내는 고유의 단위를 사용했습니다. '근'은 채소, 과일, 고기 등의 무게를 나타내는 단위이고, '관'은 제법 무거운 채소의 무게를 나타내는 단위입니다. 그리고 '돈'은 크기가 작은 쇠붙이나 귀금속의 무게를 나타내는 단위입니다. '근', '관', '돈' 단위를 오늘날의 단위로 바꾸면 다음과 같습니다. 다음 무게를 계산해 보세요. 창의·융합

▶ 채소, 과일 1근과 고기 1근의 무게는 다릅니다.

1근: 375 g	1근: 600 g	1관: 3750 g	1돈: 3.75 g

① 고기 3근은 몇 kg 몇 g일까요?

( )

② 포도 4근은 몇 kg 몇 g일까요?

( )

6 오렌지, 사과, 복숭아 1개씩의 무게가 무거운 순서대로 써 보세요. (단, 같은 종류의 과일 끼리는 무게가 같습니다.) 추론

오렌지 4개   사과 3개

복숭아 3개   오렌지 2개

( )

7 순서도에 따라 들이의 덧셈을 하는 프로그램이 있습니다. 시작에서 ■에 1, ▲에 500을 입력했을 때 출력되는 값을 구해 보세요. 〔코딩〕

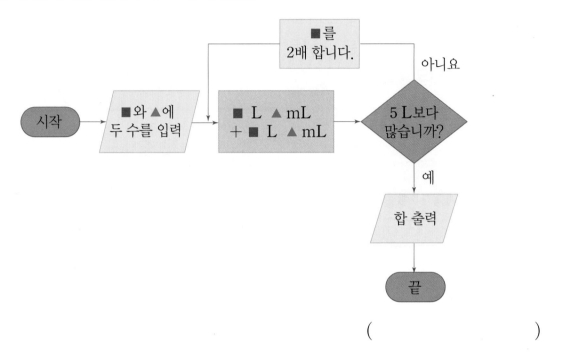

(   )

8 1분 동안 2 L 600 mL가 나오는 수도꼭지를 틀어 빈 양동이에 물을 받고 있습니다. 3분이 지났을 때 물 900 mL가 흘러 넘쳤습니다. 양동이의 들이는 몇 L 몇 mL일까요? 〔문제 해결〕

(   )

9 소희네 학교 학생들이 좋아하는 놀이 기구를 조사하여 표와 그림그래프를 완성하려고 합니다. 물음에 답하세요. 창의·융합

① 설명 을 보고 표를 완성해 보세요.

> **설명**
>
> 범퍼카를 좋아하는 학생은 회전 그네를 좋아하는
> 학생보다 1명 많아요.

좋아하는 놀이 기구

놀이 기구	바이킹	범퍼카	롤러코스터	회전 그네	합계
학생 수(명)	36		29		100

② **①**의 표와 설명 을 보고 그림그래프를 완성해 보세요.

> **설명**
>
> 조사한 남학생 수와 여학생 수는
> 각각 50명씩이에요.

좋아하는 놀이 기구

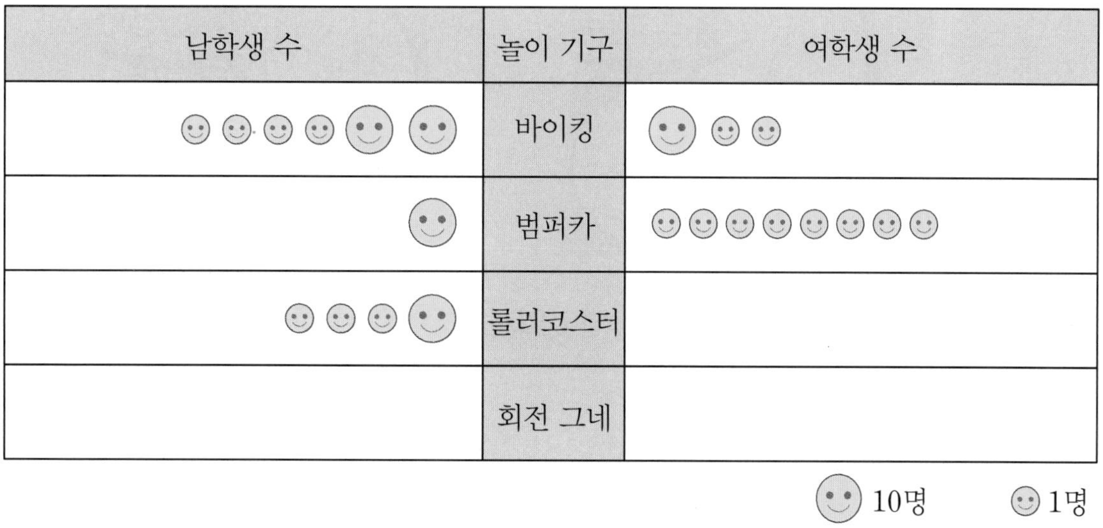

남학생 수	놀이 기구	여학생 수
☺☺☺☺☺ ☺	바이킹	☺ ☺ ☺
☺	범퍼카	☺☺☺☺☺☺☺☺ ☺
☺ ☺ ☺ ☺	롤러코스터	
	회전 그네	

☺ 10명   ☺ 1명

누구나 **100점** TEST

[1~2] 그릇에 들어 있는 물의 양을 구해 보세요.

1

( )

2

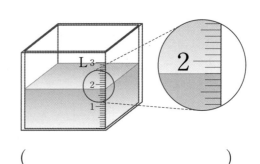

( )

3 숟가락 1개와 포크 1개 중 어느 것이 더 무거울까요?

(단, 같은 종류끼리는 무게가 같습니다.)

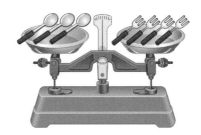

( )

[4~5] 저울을 보고 물음에 답하세요.

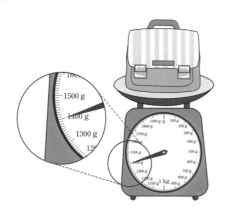 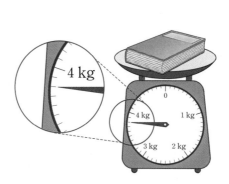

4 가방과 책의 무게는 각각 몇 kg 몇 g일까요?

가방 ( ), 책 ( )

5 책을 넣은 가방의 무게는 몇 kg 몇 g일까요?

( )

6 물이 ㉮ 물통에는 3 L 400 mL, ㉯ 물통에는 2 L 800 mL 있습니다. 두 물통의 물의 양을 같게 하려면 옮겨야 하는 물의 양은 몇 mL일까요?

(   )

7 바구니 안에 귤 5개를 담아 무게를 재었더니 3 kg 800 g이었습니다. 빈 바구니의 무게가 1 kg 300 g이라면 귤 1개의 무게는 몇 g일까요? (단, 귤의 무게는 같습니다.)

(   )

[8~9] 수영이네 학교 3학년 학생들이 좋아하는 간식을 표와 그림그래프로 나타내려고 합니다. 물음에 답하세요.

8 표와 그림그래프를 완성해 보세요.

좋아하는 간식

간식	떡볶이	순대	튀김	합계
학생 수 (명)	32			74

좋아하는 간식

간식	학생 수
떡볶이	
순대	
튀김	☺ ☺ ☺ ☺ ☺ ☺ ☺ ☺

☺10명   ☺1명

9 수영이네 학교 3학년 학생들에게 간식을 주려고 합니다. 어떤 것을 준비하면 좋을지 쓰고, 그 이유를 써 보세요.

간식 _____

이유 _____

_____

memo

초등 수학 기초 학습 능력 강화 교재

2021 신간

하루하루 쌓이는 수학 자신감!

똑똑한 하루
수학 시리즈

초등 수학 첫 걸음

수학 공부, 절대 지루하면 안 되니까~
하루 10분 학습 커리큘럼으로
쉽고 재미있게 수학과 친해지기!

학습 영양 밸런스

⟨수학⟩은 물론 ⟨계산⟩, ⟨도형⟩, ⟨사고력⟩편까지
초등 수학 전 영역을 커버하는 맞춤형 교재로
편식은 NO! 완벽한 수학 영양 밸런스!

창의·사고력 확장

초등학생에게 꼭 필요한 수학 지식과
창의·융합·사고력 확장을 위한
재미있는 문제 구성으로 힘찬 워밍업!

우리 아이 공부습관 프로젝트! 초1~초6

하루 수학 (총 6단계, 12권)

하루 계산 (총 6단계, 12권)

하루 도형 (총 6단계, 6권)

하루 사고력 (총 6단계, 12권)

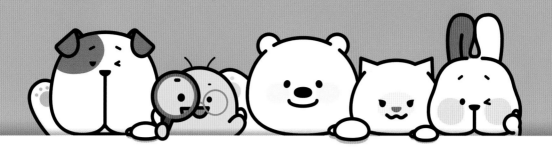

✄ 쉽다!

10분이면 하루치 공부를 마칠 수 있는 커리큘럼으로,
아이들이 초등 학습에 쉽고 재미있게 접근할 수 있도록 구성하였습니다.

🧩 재미있다!

교과서는 물론 생활 속에서 쉽게 접할 수 있는 다양한 소재와
재미있는 게임 형식의 문제로 흥미로운 학습이 가능합니다.

📖 똑똑하다!

초등학생에게 꼭 필요한 학습 지식 습득은 물론
창의력 확장까지 가능한 교재로 올바른 공부습관을 가지는 데 도움을 줍니다.

정답 및 해설

똑 똑 한
하루
사고력

초등
수학 **3B**
3학년 수준

천재교육

정답 및 해설
포인트 3가지

▶ 한눈에 알아볼 수 있는 정답 제시

▶ 혼자서도 이해할 수 있는 문제 풀이

▶ 꼭 필요한 사고력 유형 풀이 제시

똑 똑 한
하루
사고력

창의·융합·서술·코딩

정답 및 해설

초등
수학 **3B**
3학년 수준

정답 및 해설

1주에는 무엇을 공부할까? ❷　6쪽~7쪽

1-1 (1) 396　(2) 1200　(3) 2250

1-2 (1) 852　(2) 3000　(3) 5200

2-1 798, 2947, 4823

2-2 3186, 2226, 7155

3-1 (1) 148　(2) 1400　(3) 5372

3-2 (1) 288　(2) 2795　(3) 8352

4-1 608, 2964, 7372

4-2 414, 2166, 7031

1-1 (2) 3×4＝12 ➜ 30×40＝1200

　　(3) 45×5＝225 ➜ 45×50＝2250

1-2 (2) 5×6＝30 ➜ 50×60＝3000

　　(3) 65×8＝520 ➜ 65×80＝5200

2-1
```
    1 1 4 7        4 2 1 7        6 8 9 7
  ×       7      ×       7      ×       7
  ─────────      ─────────      ─────────
        2 8            7              6 3
      7 0                1 4 0        5 6 0
    7 0 0          2 8 0 0        4 2 0 0
  ─────────      ─────────      ─────────
    7 9 8          2 9 4 7        4 8 2 3
```

2-2
```
    5 3 1 6        3 1 8 7        7 9 5 9
  ×       6      ×       7      ×       9
  ─────────      ─────────      ─────────
          6          5 6            4 5
      1 8 0            7 0        8 1 0
    3 0 0 0        2 1 0 0      6 3 0 0
  ─────────      ─────────      ─────────
    3 1 8 6        2 2 2 6        7 1 5 5
```

3-1 (1)
```
        4
    ×  3 7
    ─────
      2 8
    1 2 0
    ─────
    1 4 8
```
(2)
```
      2 5
    × 5 6
    ─────
    1 5 0
  1 2 5 0
  ─────
  1 4 0 0
```
(3)
```
      6 8
    × 7 9
    ─────
    6 1 2
  4 7 6 0
  ─────
  5 3 7 2
```

3-2 (1)
```
        6
    ×  4 8
    ─────
      4 8
    2 4 0
    ─────
    2 8 8
```
(2)
```
      4 3
    × 6 5
    ─────
    2 1 5
  2 5 8 0
  ─────
  2 7 9 5
```
(3)
```
      8 7
    × 9 6
    ─────
    5 2 2
  7 8 3 0
  ─────
  8 3 5 2
```

4-1
```
        8          3 9          9 7
    ×  7 6      × 7 6        × 7 6
    ─────      ─────        ─────
      4 8        2 3 4        5 8 2
    5 6 0      2 7 3 0      6 7 9 0
    ─────      ─────        ─────
      6 0 8    2 9 6 4      7 3 7 2
```

4-2
```
        9          3 8          7 9
    ×  4 6      × 5 7        × 8 9
    ─────      ─────        ─────
      5 4        2 6 6        7 1 1
    3 6 0      1 9 0 0      6 3 2 0
    ─────      ─────        ─────
      4 1 4    2 1 6 6      7 0 3 1
```

1일　개념·원리 길잡이　8쪽~9쪽

활동 문제 8쪽

❶ 3　❷ 4　❸ 123, 5　❹ 142, 6

활동 문제 9쪽

❶ 152, 456, 2, 8

❷ 4, 5, 173, 173, 692, 3, 15

1일　서술형 길잡이　독해력 길잡이　10쪽~11쪽

1-1 872 cm

1-2 6, 186, 6, 1116 / 1116 cm

1-3 (1) 675 cm　(2) 880 cm　(3) 1555 cm

2-1 872 cm

2-2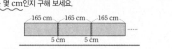
길이가 165 cm인 색 테이프 7장을 5 cm씩 겹치게 이어 붙였습니다. 이어 붙인 색 테이프의 전체 길이는 몇 cm인지 구해 보세요.

/ 1125 cm

2-3 1017 cm

1-1 (사각형의 네 변의 길이의 합)＝218×4

　　　　　　　　　　　　　＝872 (cm)

1-3 (1) (삼각형의 세 변의 길이의 합)＝225×3

　　　　　　　　　　　　　＝675 (cm)

　　(2) (오각형의 다섯 변의 길이의 합)＝176×5

　　　　　　　　　　　　　＝880 (cm)

　　(3) 675＋880＝1555 (cm)

2-1 (색 테이프 5장의 길이)＝180×5＝900 (cm),

　　(겹치는 부분의 길이)＝7×4＝28 (cm)

　　➜ (이어 붙인 색 테이프의 전체 길이)

　　　　＝900－28＝872 (cm)

2-2 (색 테이프 7장의 길이)=$165 \times 7 = 1155$ (cm),
(겹치는 부분의 길이)=$5 \times 6 = 30$ (cm)
➡ (이어 붙인 색 테이프의 전체 길이)
$=1155-30=1125$ (cm)

2-3 (색 테이프 8장의 길이)=$135 \times 8 = 1080$ (cm),
(겹치는 부분의 길이)=$9 \times 7 = 63$ (cm)
➡ (이어 붙인 색 테이프의 전체 길이)
$=1080-63=1017$ (cm)

1일 **사고력·코딩** **12**쪽~**13**쪽

1 (1) 1164 cm (2) 1256 cm
2 979 cm
3 296 cm
4 1750원
5 8 cm
6 1074 cm

1 (1) (육각형의 여섯 변의 길이의 합)
$=194 \times 6 = 1164$ (cm)
(2) (팔각형의 여덟 변의 길이의 합)
$=157 \times 8 = 1256$ (cm)

2 (색 테이프 6장의 길이)=$169 \times 6 = 1014$ (cm),
(겹치는 부분의 길이)=$7 \times 5 = 35$ (cm)
➡ (이어 붙인 색 테이프의 전체 길이)
$=1014-35=979$ (cm)

3 굵은 선으로 표시된 부분의 길이는 정사각형의 한 변의
길이의 8배입니다.
➡ $37 \times 8 = 296$ (cm)

4 (빵 5개의 가격)=$650 \times 5 = 3250$ (원)
➡ (거스름돈)=$5000-3250=1750$ (원)

5 (색 테이프 7장의 길이)=$190 \times 7 = 1330$ (cm)이므
로 겹치는 부분의 길이를 □ cm라 하면
$1330-\square=1282$ ➡ $\square+1282=1330$,
$1330-1282=\square$, □=48입니다.
겹치는 한 부분의 길이를 △ cm라 하면
$\triangle \times 6=48$, $48 \div 6=\triangle$, △=8입니다.

6 세로를 ■ cm라 하면 가로는 세로의 2배이므로
(가로)=■$\times 2$=■+■입니다.
네 변의 길이의 합은 (가로)+(세로)+(가로)+(세로)
이므로 ■+■+■+■+■+■=■$\times 6$입니다.
➡ (네 변의 길이의 합)=■$\times 6$=179×6
$=1074$ (cm)

2주 **개념·원리 길잡이** **14**쪽~**15**쪽

활동 문제 14쪽

1000 / 30, 1500 / 50, 50, 2500 / 50, 60, 3000

활동 문제 15쪽

❶ 13 ❷ 58 ❸ 2, 39 ❹ 8, 27

2주 **서술형 길잡이** **독해력 길잡이** **16**쪽~**17**쪽

1-1 2000원
1-2 35, 35, 1750 / 1750원
1-3 12개
2-1 96개
2-2

민수는 놀이터의 화단 근처에 모여 있는 개미 28마리의 다리 수를 세어 보았습니다. 민수가 세어 본 개미의 다리는 모두 몇 개인지 구해 보세요.

내 다리는 6개야.

/ 168개
2-3 392개

1-1 $50 \times 40 = 2000$ (원)
1-3 $50 \times 60 = 3000$이므로 3000원이 되려면 50원짜리
동전을 60개 모아야 합니다.
➡ $60-48=12$ (개)

┌ 다른 풀이 ┐
$50 \times 48 = 2400$ (원)이므로 $3000-2400=600$ (원)입
니다. $50 \times 12 = 600$이므로 3000원이 되려면 50원짜
리 동전을 12개 더 모아야 합니다.

2-1 $4 \times 24 = 96$ (개)
2-2 개미 한 마리의 다리는 6개이므로 $6 \times 28 = 168$ (개)입
니다.
2-3 메뚜기 한 마리의 다리는 6개이므로 $6 \times 16 = 96$ (개)
입니다.
거미 한 마리의 다리는 8개이므로 $8 \times 37 = 296$ (개)입
니다.
➡ $96+296=392$ (개)

2주 **사고력·코딩** **18**쪽~**19**쪽

1 97개
2 162 cm
3 4250 m
4 (1) 4, 5 (2) 6, 8
5 (1) 136 (2) 24

1 (두발자전거 14대의 바퀴 수)

＝(두발자전거 1대의 바퀴 수)×14

＝2×14＝28(개)

(세발자전거 23대의 바퀴 수)

＝(세발자전거 1대의 바퀴 수)×23

＝3×23＝69(개)

➔ 28＋69＝97(개)

2 굵은 선으로 표시된 부분은 정사각형의 한 변의 길이의 18배입니다.

➔ 9×18＝162 (cm)

3 (나무 사이의 간격 수)＝(나무의 수)－1,

(도로의 길이)

＝(나무 사이의 간격)×(나무 사이의 간격 수)이므로

(나무 사이의 간격 수)＝51－1＝50(군데),

(도로의 길이)＝85×50＝4250 (m)입니다.

4 (1)
$$\begin{array}{r} 3 \\ \times \ \ㄱ\ ㄴ \\ \hline 1\ 3\ 5 \end{array}$$

3×ㄴ의 일의 자리 수가 5이므로 3×5＝15입니다.

ㄴ＝5이므로 3×ㄱ5＝135에서

135－15＝120, 3×ㄱ0＝120

➔ ㄱ＝4입니다.

(2)
$$\begin{array}{r} 7 \\ \times \ \ㄱ\ ㄴ \\ \hline 4\ 7\ 6 \end{array}$$

7×ㄴ의 일의 자리 수가 6이므로 7×8＝56입니다.

ㄴ＝8이므로 7×ㄱ8＝476에서

476－56＝420, 7×ㄱ0＝420

➔ ㄱ＝6입니다.

5 (다리 수)×(상자에 써 있는 수)＝(구슬에 써 있는 수)가 되는 규칙입니다.

(1) 8×17＝136

(2) 상자에 써 있는 수를 ●라 할 때 4×●＝96,

●는 몇십몇이므로 ●＝□△라 하면

4×□△＝96입니다.

4×△의 일의 자리 수가 6이므로

4×4＝16, 4×9＝36입니다.

• △＝4일 때 4×□4＝96이므로 96－16＝80

에서 4×□0＝80 ➔ □＝2 (○)

• △＝9일 때 4×□9＝96이므로 96－36＝60

에서 4×□0＝60 (×)

따라서 □△＝24입니다.

3일 개념·원리 길잡이 **20**쪽~**21**쪽

활동 문제 **20**쪽

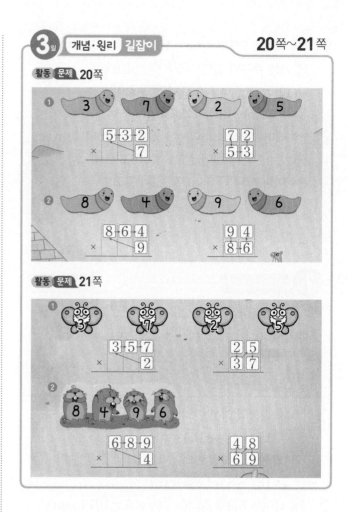

활동 문제 **21**쪽

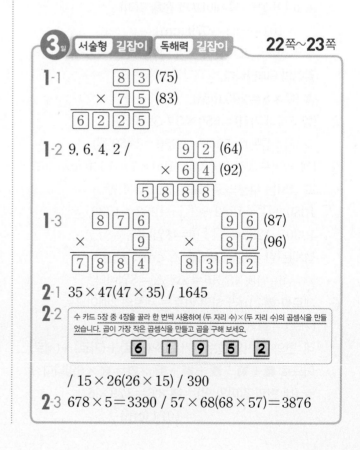

3일 서술형 길잡이 독해력 길잡이 **22**쪽~**23**쪽

1-1
$$\begin{array}{r} 8\ 3\ (75) \\ \times \ 7\ 5\ (83) \\ \hline 6\ 2\ 2\ 5 \end{array}$$

1-2 9, 6, 4, 2 /
$$\begin{array}{r} 9\ 2\ (64) \\ \times \ 6\ 4\ (92) \\ \hline 5\ 8\ 8\ 8 \end{array}$$

1-3
$$\begin{array}{r} 8\ 7\ 6 \\ \times \ \ \ 9 \\ \hline 7\ 8\ 8\ 4 \end{array} \qquad \begin{array}{r} 9\ 6\ (87) \\ \times \ 8\ 7\ (96) \\ \hline 8\ 3\ 5\ 2 \end{array}$$

2-1 35×47(47×35) / 1645

2-2 수 카드 5장 중 4장을 골라 한 번씩 사용하여 (두 자리 수)×(두 자리 수)의 곱셈식을 만들었습니다. 곱이 가장 작은 곱셈식을 만들고 곱을 구해 보세요.

6 1 9 5 2

/ 15×26(26×15) / 390

2-3 678×5＝3390 / 57×68(68×57)＝3876

1-1 8＞7＞5＞3 ➡

```
        8 3
    ×   7→5
    ─────────
        4 1 5
      5 8 1 0
    ─────────
      6 2 2 5
```

1-2 9＞6＞4＞2 ➡

```
        9 2
    ×   6→4
    ─────────
        3 6 8
      5 5 2 0
    ─────────
      5 8 8 8
```

1-3 9＞8＞7＞6 ➡

```
      8→7→6              9 6
    ×       9          × 8→7
    ─────────        ─────────
        5 4              6 7 2
      6 3 0            7 6 8 0
    7 2 0 0          ─────────
    ─────────          8 3 5 2
    7 8 8 4
```

2-1 3＜4＜5＜7＜8 ➡ 3＜4＜5＜7 ➡

```
          3 5
        × 4 7
      ─────────
          2 4 5
        1 4 0 0
      ─────────
        1 6 4 5
```

2-2 1＜2＜5＜6＜9 ➡ 1＜2＜5＜6 ➡

```
          1 5
        × 2 6
      ─────────
            9 0
          3 0 0
      ─────────
          3 9 0
```

2-3 5＜6＜7＜8＜9 ➡ 5＜6＜7＜8

```
   ➡    6→7→8            5 7
      ×       5        × 6 8
      ─────────      ─────────
        3 3 9 0        3 8 7 6
```

3일 **사고력·코딩** **24**쪽~**25**쪽

1 83, 67(67, 83), 5561 / 29, 31(31, 29), 899

2 (1) ⑤ ④ ③ × ⑦ = 3801

    (2) ⑦ ③ × ⑤ ④ = 3942
      (54)   (73)

    (3) ④ ⑤ ⑦ × ③ = 1371

    (4) ③ ⑤ × ④ ⑦ = 1645
      (47)   (35)

3 ㉡   **4** ㉠

5 6560

---

1 • 곱이 가장 크려면 가장 큰 수와 둘째로 큰 수를 곱하면 됩니다.

   83＞67＞45＞31＞29

   ➡ 83×67＝5561

• 곱이 가장 작으려면 가장 작은 수와 둘째로 작은 수를 곱하면 됩니다.

   29＜31＜45＜67＜83

   ➡ 29×31＝899

2 (1) 7＞5＞4＞3 ➡

```
          5 4 3
        ×     7
      ─────────
            2 1
          2 8 0
        3 5 0 0
      ─────────
        3 8 0 1
```

   (2) 7＞5＞4＞3 ➡

```
            7 3
        ×   5 4
      ─────────
            2 9 2
          3 6 5 0
      ─────────
          3 9 4 2
```

   (3) 3＜4＜5＜7 ➡

```
          4 5 7
        ×     3
      ─────────
            2 1
          1 5 0
        1 2 0 0
      ─────────
        1 3 7 1
```

   (4) 3＜4＜5＜7 ➡

```
            3 5
        ×   4 7
      ─────────
            2 4 5
          1 4 0 0
      ─────────
          1 6 4 5
```

3 8＞6＞2＞1＞0

   ➡ 8＞6＞2＞1

   ➡ ㉠

```
        6 2 1              8 1
      ×     8          ×   6 2
      ─────────        ─────────
      4 9 6 8    ㉡    5 0 2 2
```
㉠ ＜ ㉡

4 3＜4＜7＜8＜9

   ➡ 3＜4＜7＜8

   ➡ ㉠

```
        4 7 8              3 7
      ×     3          ×   4 8
      ─────────        ─────────
      1 4 3 4    ㉡    1 7 7 6
```
㉠ ＜ ㉡

5 三 → 3, 五 → 5, 九 → 9, 四 → 4, 六 → 6, 八 → 8

• 9>8>6>5>4>3

➔ 9>8>6>5

➔
$$\begin{array}{r} 9\ 5 \\ \times\ 8\ 6 \\ \hline 8\ 1\ 7\ 0 \end{array}$$

• 3<4<5<6<8<9

➔ 3<4<5<6

➔
$$\begin{array}{r} 3\ 5 \\ \times\ 4\ 6 \\ \hline 1\ 6\ 1\ 0 \end{array}$$

➔ 8170−1610=6560

4일 개념·원리 길잡이 26쪽~27쪽

활동 문제 **26**쪽

❶ 167 ❷ 25, 3 ❸ 30, 15

활동 문제 **27**쪽

❶ +에 ○표, ×에 ○표

❷ −에 ○표, ×에 ○표, 7

❸ +에 ○표, 19, ×에 ○표, 19

활동 문제 **26**쪽

(외국 돈 ■)=(외국 돈 1일 때 우리나라 돈 ▲)×■

활동 문제 **27**쪽

잘못 계산한 식과 바르게 계산한 식을 구하는 연습을 반복합니다.

4일 서술형 길잡이 독해력 길잡이 28쪽~29쪽

1-1 805원

1-2 89, 7, 7, 89, 623 / 623원

1-3 4265원

2-1 690

2-2 | 어떤 수에 29를 곱해야 하는데 잘못하여 빼었더니 58이 되었습니다. 바르게 계산한 값은 얼마인지 구해 보세요.

/ 2523

2-3 3997

1-1 (필리핀 돈 35페소)=(필리핀 돈 1페소)×35

= (우리나라 돈 23원)×35

= 23×35=805(원)

1-2 (파키스탄 돈 89루피)=(파키스탄 돈 1루피)×89

= (우리나라 돈 7원)×89

1-3 (캐나다 돈 5달러)=(캐나다 돈 1달러)×5

= (우리나라 돈 853원)×5

= 853×5=4265(원)

2-1 어떤 수를 □라 하면 잘못 계산한 식은 □+30=53 입니다. 덧셈과 뺄셈의 관계를 이용하면 53−30=□, □=23입니다.

따라서 바르게 계산한 값을 구하는 식은 □×30이므로 23×30=690입니다.

2-2 어떤 수를 □라 하면 잘못 계산한 식은 □−29=58 입니다. 덧셈과 뺄셈의 관계를 이용하면 58+29=□, □=87입니다.

따라서 바르게 계산한 값을 구하는 식은 □×29이므로 87×29=2523입니다.

2-3 어떤 수를 □라 하면 잘못 계산한 식은 □−7=564 입니다. 덧셈과 뺄셈의 관계를 이용하면 564+7=□, □=571입니다.

따라서 바르게 계산한 값을 구하는 식은 □×7이므로 571×7=3997입니다.

4일 사고력·코딩 30쪽~31쪽

1 600   2 69

3 2700, 4320

4 (1) 7, 280 / 10, 280

(2) 50, 450 / 10, 10, 450

5 945 / 2112 / 597, 6, 3582

1 20×30=6000이므로 500보다 큽니다.

2 4×□=12×230이고 12는 4의 3배이므로 □는 23의 3배가 됩니다.

➔ □=23×3=69

3 (덴마크 돈 15크로네)=(덴마크 돈 3크로네)×5, (덴마크 돈 24크로네)=(덴마크 돈 3크로네)×8이므로

(덴마크 돈 15크로네)=(우리나라 돈 540원)×5

= 540×5=2700(원),

(덴마크 돈 24크로네)=(우리나라 돈 540원)×8

= 540×8=4320(원)입니다.

5 바깥에 있는 세 수를 사용하여 세 자리 수를 만들고 만든 세 자리 수와 가운데 수를 곱하는 규칙입니다.

➔ 597×6=3582

5일 **개념·원리 길잡이**   **32**쪽~**33**쪽

활동 문제 32쪽

❶ 1, 7, 7 ❷ 9, 1, 8, 8

활동 문제 33쪽

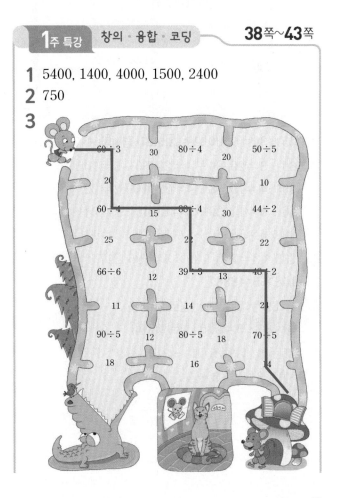

/ 5, 6, 4, 3

활동 문제 33쪽

(한 변의 길이)=(모든 변의 길이의 합)÷(변의 수)

5일 **서술형 길잡이** **독해력 길잡이**   **34**쪽~**35**쪽

1-1 11 m

1-2 1, 5, 1, 4, 4, 15 / 15 m

1-3 (1) 6개 (2) 5군데 (3) 18 m

2-1 12 cm

2-2 | 다음은 다섯 변의 길이가 모두 같은 오각형입니다. 이 오각형의 모든 변의 길이의 합이 70 cm일 때 한 변의 길이는 몇 cm인지 구해 보세요. |
| :--- |

/ 14 cm

2-3 41 cm

1-1 (가로등 사이의 간격 수)=10−1=9(군데)

   ➡ 99÷9=11 (m)

1-2 (가로등 사이의 간격)

   =(도로의 길이)÷(가로등 사이의 간격 수)

1-3 (1) 12÷2=6(개)

   (2) 6−1=5(군데)

   (3) 90÷5=18 (m)

2-1 48÷4=12 (cm)

2-2 70÷5=14 (cm)

2-3 (삼각형의 한 변의 길이)=93÷3=31 (cm),

   (팔각형의 한 변의 길이)=80÷8=10 (cm)

   ➡ 31+10=41 (cm)

5일 **사고력·코딩**   **36**쪽~**37**쪽

1 24   **2** 15

3 15 cm   **4** 10 m

5 66 cm   **6** 32

---

1 48÷2=24

2 90÷3=30, 30÷2=15

   ➡ ㉠=15

3 굵은 선으로 표시된 부분은 정사각형의 한 변의 길이의 6배입니다.

   ➡ (한 변의 길이)=90÷6=15 (cm)

4 (울타리 1개에 사용한 자른 통나무 수)=36÷4

               =9(도막)

   (자른 통나무 사이의 간격 수)=9−1

               =8(군데)

   ➡ (자른 통나무 사이의 간격)=80÷8

            =10 (m)

5 (오각형의 한 변의 길이)=55÷5

          =11 (cm)

   ➡ (육각형의 모든 변의 길이의 합)=11×6

                   =66 (cm)

6 Ⅵ → 6, Ⅸ → 9이므로 가장 큰 두 자리 수는 96입니다. ➡ 96÷3=32

1주 특강 **창의·융합·코딩**   **38**쪽~**43**쪽

1 5400, 1400, 4000, 1500, 2400

2 750

3

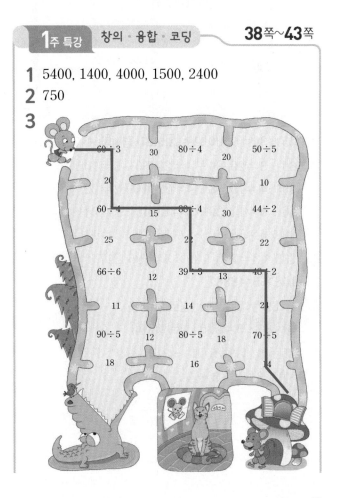

4

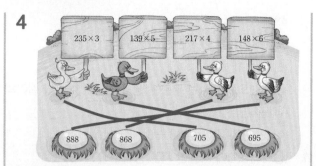

5 ① 780 킬로칼로리 ② 930 킬로칼로리
6 7905 / 2242
7 ① 1200 m ② 11 m
8 888
9 24, 144 / 9, 45, 405
10 ① 27, 81 / 81개 ② 2, 40 / 40 cm
    ③ 4, 20 / 20 cm ④ 8, 10 / 10 cm

1 ・$50 \times 30 = 1500$ ・$40 \times 60 = 2400$
   ・$20 \times 70 = 1400$ ・$80 \times 50 = 4000$
   ・$60 \times 90 = 5400$

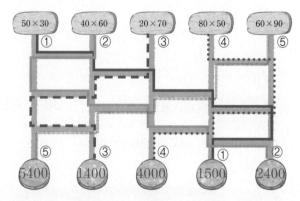

2 $25 \times 30 = 750$이므로 700보다 큽니다. ➡ 750을 출력

3 $60 \div 3 = 20$, $80 \div 4 = 20$, $50 \div 5 = 10$
   $60 \div 4 = 15$, $88 \div 4 = 22$, $44 \div 2 = 22$
   $66 \div 6 = 11$, $39 \div 3 = 13$, $48 \div 2 = 24$
   $90 \div 5 = 18$, $80 \div 5 = 16$, $70 \div 5 = 14$

4 $235 \times 3 = 705$, $139 \times 5 = 695$, $217 \times 4 = 868$,
   $148 \times 6 = 888$

5 ① $390 \times 2 = 780$ (킬로칼로리)
   ② $186 \times 5 = 930$ (킬로칼로리)

6 Ⅷ → 8, Ⅴ → 5, Ⅲ → 3, Ⅸ → 9
   ・$9 > 8 > 5 > 3$ ➡

$$
\begin{array}{r}
9\ 3 \\
\times\ 8\ 5 \\
\hline
4\ 6\ 5 \\
7\ 4\ 4\ 0 \\
\hline
7\ 9\ 0\ 5
\end{array}
$$

・$3 < 5 < 8 < 9$ ➡

$$
\begin{array}{r}
3\ 8 \\
\times\ 5\ 9 \\
\hline
3\ 4\ 2 \\
1\ 9\ 0\ 0 \\
\hline
2\ 2\ 4\ 2
\end{array}
$$

7 ① (나무 사이의 간격 수)＝(나무의 수)－1,
   (도로의 길이)
     ＝(나무 사이의 간격)×(나무 사이의 간격 수)
   이므로
   (나무 사이의 간격 수)＝$41 - 1 = 40$(군데),
   (도로의 길이)＝$30 \times 40 = 1200$ (m)입니다.

   ② (나무 사이의 간격)
     ＝(도로의 길이)÷(나무 사이의 간격 수),
   (나무 사이의 간격 수)＝$8 - 1 = 7$(군데)
     ➡ (나무 사이의 간격)＝$77 \div 7 = 11$ (m)

8 어떤 수를 □라 하면 잘못 계산한 식은 $\square + 37 = 61$
입니다. 덧셈과 뺄셈의 관계를 이용하면 $61 - 37 = \square$,
$\square = 24$입니다.
따라서 바르게 계산한 값을 구하는 식은 $\square \times 37$이므
로 $24 \times 37 = 888$입니다.

9 (왼쪽 공에 써 있는 수)×(두 공에 써 있는 수의 곱)이
나오는 규칙입니다.
   ➡ $6 \times 4 = 24$이므로 $6 \times 24 = 144$입니다.
     $9 \times 5 = 45$이므로 $9 \times 45 = 405$입니다.

10 ① 첫 번째에서 색칠한 삼각형 1개는 두 번째에서 색
칠한 삼각형 3개로 바뀌고 두 번째에서 색칠한 삼
각형 1개는 세 번째에서 색칠한 삼각형 3개로 바뀌
는 규칙입니다.
     ➡ (두 번째에서 색칠한 삼각형 수)＝$3 \times 3 = 9$(개),
     (세 번째에서 색칠한 삼각형 수)＝$3 \times 9 = 27$(개),
     (네 번째에서 색칠한 삼각형 수)＝3×27
                   ＝81(개)

   ② 처음 삼각형의 한 변의 길이는 첫 번째에서 색칠한
삼각형 1개의 한 변의 길이의 2배입니다.
     ➡ $80 \div 2 = 40$ (cm)

   ③ 처음 삼각형의 한 변의 길이는 두 번째에서 색칠한
삼각형 1개의 한 변의 길이의 4배입니다.
     ➡ $80 \div 4 = 20$ (cm)

   ④ 처음 삼각형의 한 변의 길이는 세 번째에서 색칠한
삼각형 1개의 한 변의 길이의 8배입니다.
     ➡ $80 \div 8 = 10$ (cm)

누구나 100점 TEST — 44쪽~45쪽

1 528 cm

2 (1) 15, 30 (2) 28, 168

3 23 cm   **4** 605 mm

5
```
    8 4  (65)
  × 6 5  (84)
  5 4 6 0
```

6
```
    4 6  (58)
  × 5 8  (46)
  2 6 6 8
```

7 50, 26, 50, 26, 50, 1300

8 665

---

1 (사각형의 네 변의 길이의 합)$=132×4=528$ (cm)

2 (1) 병아리의 다리는 2개입니다.
  ➜ $2×15=30$(개)
 (2) 개미의 다리는 6개입니다.
  ➜ $6×28=168$(개)

3 (한 변의 길이)$=69÷3=23$ (cm)

4 (색 테이프 5장의 길이)$=125×5=625$ (mm),
 (겹치는 부분의 길이)$=5×4=20$ (mm)
 ➜ (이어 붙인 색 테이프의 전체 길이)
  $=625-20=605$ (mm)

5 $8>6>5>4$ ➜
```
      8 4
    × 6→5
      4 2 0
    5 0 4 0
    5 4 6 0
```

6 $4<5<6<8$ ➜
```
      4 6
    × 5 8
      3 6 8
    2 3 0 0
    2 6 6 8
```

7 $500=10×50$이므로
 (카자흐스탄 돈 500텡게)=(카자흐스탄 돈 10텡게)$×50$
 입니다.

8 어떤 수를 □라 하면 잘못 계산한 식은 □$-5=128$
 입니다. 덧셈과 뺄셈의 관계를 이용하면 $128+5=$□,
 □$=133$입니다.
 따라서 바르게 계산한 값을 구하는 식은 □$×5$이므로
 $133×5=665$입니다.

2주

2주에는 무엇을 공부할까? ❷ — 48쪽~49쪽

1-1 (1) 13 (2) 14 (3) 35

1-2 (1) 12, 2 (2) 13, 1 (3) 26, 3

2-1 12, 24, 118

2-2 12, 3 / 11, 7 / 64, 4

3-1 6 cm   **3-2** 4 cm

4-1 1   **4-2** 2, 3

3-1 (원의 지름)$=3×2=6$ (cm)

3-2 (원의 반지름)$=8÷2=4$ (cm)

1일 개념·원리 길잡이 — 50쪽~51쪽

활동 문제 50쪽

3, 6 / 2, 25, 8 / 97, 5, 57, 9 / 86, 3, 36, 8

활동 문제 51쪽

❶ 7, 5 / 5, 2

❷ 9, 5 / 8, 5, 3

❸ 5, 13, 3 / 5, 3, 2

활동 문제 50쪽

몫이 가장 큰 경우:

(가장 큰 두 자리 수)÷(가장 작은 한 자리 수)

몫이 가장 작은 경우:

(가장 작은 두 자리 수)÷(가장 큰 한 자리 수)

활동 문제 51쪽

(더 필요한 최소한의 과일 수)

$=$(바구니 수)$-$(나머지)

1일 서술형 길잡이 독해력 길잡이 — 52쪽~53쪽

1-1 $\boxed{65}÷\boxed{4}=\boxed{16}…\boxed{1}$ / 16

1-2 (1) 3, 4, 8
 (2) $\boxed{34}÷\boxed{8}=\boxed{4}…\boxed{2}$ / 4

1-3 $76÷3=25…1$ / 25

2-1 2개

2-2
> 과일 가게에서 새로 들어온 자두 60개를 남는 것 없이 봉지 9개에 똑같이 나누어 담으려고 합니다. 봉지 9개에 같은 수의 자두가 들어가려면 더 필요한 최소한의 자두는 몇 개인지 구해 보세요.

 / 3개

2-3 22

1-1 6>5>4이므로 (가장 큰 두 자리 수)=65,
(가장 작은 한 자리 수)=4입니다.
➡ 65÷4=16…1

1-2 (가장 작은 두 자리 수)÷(가장 큰 한 자리 수)
=34÷8=4…2

1-3 7>6>4>3이므로 (가장 큰 두 자리 수)=76,
(가장 작은 한 자리 수)=3입니다.
➡ 76÷3=25…1

2-1 46÷6=7…4이므로 상자 6개에 똑같이 나누어 담으
면 한 상자에 복숭아를 7개씩 담고 남는 복숭아는 4개
입니다. 따라서 더 필요한 최소한의 복숭아는
6-4=2(개)입니다.

2-2 60÷9=6…6이므로 봉지 9개에 똑같이 나누어 담으
면 한 봉지에 자두를 6개씩 담고 남는 자두는 6개입니
다. 따라서 더 필요한 최소한의 자두는 9-6=3(개)입
니다.

2-3 73÷4=18…1이므로 상자 4개에 똑같이 나누어 담으
면 한 상자에 감을 18개씩 담고 남는 감은 1개입니다.
더 필요한 최소한의 감은 4-1=3(개)입니다.
➡ ㉠=3
상자 1개에 담은 감은 18+1=19(개)입니다.
➡ ㉡=19
➡ ㉠+㉡=3+19=22

1일 사고력·코딩   54쪽~55쪽

1 ㉡   2 2
3 2개   4 32
5 4   6 41

1 나머지는 나누는 수보다 항상 작습니다.
➡ ㉡ 나누는 수가 5이므로 나머지는 5보다 작습니다.

2 2<5<8<9이므로
(가장 작은 두 자리 수)=25,
(가장 큰 한 자리 수)=9입니다.
➡ 25÷9=2…7

3 22+17+38+19=96(개)
➡ 96÷7=13…5
➡ 7-5=2(개)

4 9>7>6>4>3이므로 (가장 큰 두 자리 수)=97,
(가장 작은 한 자리 수)=3입니다.
➡ 97÷3=32…1

5 (연필 8타)=12×8=96(자루)
➡ 96÷5=19…1 ➡ ㉠=1
(연필 5타)=12×5=60(자루)
➡ 60÷7=8…4 ➡ ㉡=7-4=3
➡ ㉠+㉡=1+3=4

6 🌱→2, 🌿→3, ◯→5, ♥→7, ⋀→8
8>7>5>3>2이므로 (가장 큰 두 자리 수)=87,
(가장 작은 한 자리 수)=2입니다.
➡ 87÷2=43…1
2<3<5<7<8이므로 (가장 작은 두 자리 수)=23,
(가장 큰 한 자리 수)=8입니다.
➡ 23÷8=2…7
➡ 43-2=41

2일 개념·원리 길잡이   56쪽~57쪽

활동 문제 56쪽

① 4, 68, 68, 71, 71   ② 3, 72, 72, 74, 74
③ 6, 78, 78, 83, 83

활동 문제 57쪽

① 5, 5, 27, 5   ② 3, 84, 84, 3, 28, 3

2일 서술형 길잡이 독해력 길잡이   58쪽~59쪽

1-1 145
1-2 35, 35, 245, 245, 251, 251 / 251
1-3 122
1-4 158개
2-1 18, 1
2-2 어떤 수를 3으로 나누어야 할 것을 잘못하여 곱했더니 582가 되었습니다. 바르게 계산했
을 때의 몫과 나머지는 각각 얼마인지 구해 보세요.
/ 64, 2
2-3 56, 5

1-1 어떤 수를 □라 하면 □÷3=48…1입니다.
➡ 3×48=144, 144+1=□, □=145

1-3 어떤 수를 □라 하면 □÷5=24…2입니다.
나눗셈을 맞게 계산했는지 확인하는 식을 이용하면
5×24=120, 120+2=□, □=122입니다.

1-4 나누어 주기 전의 사탕 수를 □개라 하면
□÷9=17…5입니다.
나눗셈을 맞게 계산했는지 확인하는 식을 이용하면
9×17=153, 153+5=□, □=158입니다.

2-1 어떤 수를 □라 하면 잘못 계산한 식은 □×4＝292
입니다. 곱셈과 나눗셈의 관계를 이용하면
292÷4＝□, □＝73입니다.
따라서 바르게 계산한 값을 구하는 식은 □÷4이므로
73÷4＝18…1입니다.

2-2 어떤 수를 □라 하면 잘못 계산한 식은 □×3＝582
입니다. 곱셈과 나눗셈의 관계를 이용하면
582÷3＝□, □＝194입니다.
따라서 바르게 계산한 값을 구하는 식은 □÷3이므로
194÷3＝64…2입니다.

2-3 어떤 수를 □라 하면 잘못 계산한 식은
□÷6＝75…3입니다.
나눗셈을 맞게 계산했는지 확인하는 식을 이용하면
6×75＝450, 450＋3＝□, □＝453입니다.
따라서 바르게 계산한 값을 구하는 식은 □÷8이므로
453÷8＝56…5입니다.

2일 **사고력·코딩**　　　　　　　**60**쪽~**61**쪽

1 189	**2** 200	**3** 화요일
4 538	**5** 76	**6** 10타

---

1 어떤 수를 □라 하면 □÷5＝37…4입니다.
나눗셈을 맞게 계산했는지 확인하는 식을 이용하면
5×37＝185, 185＋4＝□, □＝189입니다.

2 어떤 수를 □라 하면 잘못 계산한 식은
□÷9＝87…8입니다.
나눗셈을 맞게 계산했는지 확인하는 식을 이용하면
9×87＝783, 783＋8＝□, □＝791입니다.
따라서 바르게 계산한 값을 구하는 식은 □÷4이므로
791÷4＝197…3입니다.
➡ 197＋3＝200

3 일주일마다 같은 요일이 반복되고 내년 2월은 29일까
지 있으므로 올해 어린이날부터 1년 뒤는 366일 후입
니다. ➡ 366÷7＝52…2
52주와 2일이므로 내년 어린이날은 일요일보다 이틀
뒤인 화요일입니다.

4 어떤 수를 □라 하면 □÷7＝38…△입니다.
　➡ 가장 작은 수: △＝0일 때 □÷7＝38이므로
　　7×38＝□, □＝266입니다.
　　가장 큰 수: △＝6일 때 □÷7＝38…6이므로
　　7×38＝266, 266＋6＝□, □＝272입니다.
　➡ 266＋272＝538

5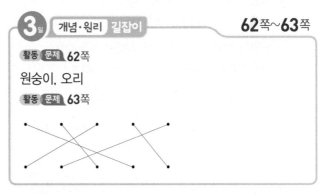
ⓒ÷7＝45…5이므로 7×45＝315, 315＋5＝ⓒ,
ⓒ＝320입니다.
ⓒ－60＝ⓒ이므로 ⓒ－60＝320, 320＋60＝ⓒ,
ⓒ＝380입니다.
어떤 수를 □라 하면 □×5＝380, 380÷5＝□,
□＝76입니다.

6 나누어 주기 전의 연필을 □자루라 하면
□÷9＝13…3입니다.
➡ 9×13＝117, 117＋3＝120, □＝120
연필 △타는 12×△＝120이므로 △＝10입니다.

3일 **개념·원리 길잡이**　　　　　　　**62**쪽~**63**쪽

활동 문제 62쪽

원숭이, 오리

활동 문제 63쪽

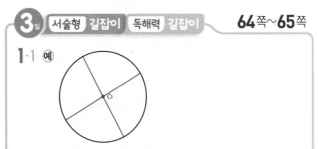

활동 문제 62쪽
원 안에서 그을 수 있는 가장 긴 선분은 원의 중심을 지나도
록 그어야 합니다. ➡ 말과 원숭이, 독수리와 오리

활동 문제 63쪽
(지름)＝(반지름)×2, (반지름)＝(지름)÷2

3일 **서술형 길잡이 독해력 길잡이**　　**64**쪽~**65**쪽

1-1 (예)

1-2 (예) 원 안에 그을 수 있는 가장 긴 선분은 원의 중심
을 지나도록 긋습니다.

1-3 (예) 원 안에 그은 선분이 가장 긴 선분이 되려면 원
의 중심을 지나야 하는데 원의 중심을 지나지 않으
므로 가장 긴 선분이 아닙니다.

2-1 6 cm

2-2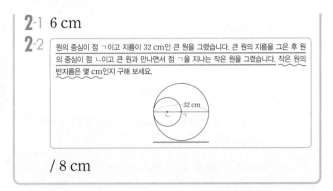
원의 중심이 점 ㄱ이고 지름이 32 cm인 큰 원을 그렸습니다. 큰 원의 지름을 그은 후 원의 중심이 점 ㄴ이고 큰 원과 만나면서 점 ㄱ을 지나는 작은 원을 그렸습니다. 작은 원의 반지름은 몇 cm인지 구해 보세요.

/ 8 cm

1-1 원 안에 그을 수 있는 가장 긴 선분은 지름이므로 원의 중심을 지나도록 선분을 2개 긋습니다.

2-1 (큰 원의 반지름)=(큰 원의 지름)÷2
　　　　　　　　=24÷2=12 (cm),
　　(작은 원의 지름)=(큰 원의 반지름)=12 cm
　　➡ (작은 원의 반지름)=(작은 원의 지름)÷2
　　　　　　　　　　　=12÷2=6 (cm)

2-2 (큰 원의 반지름)=(큰 원의 지름)÷2
　　　　　　　　=32÷2=16 (cm),
　　(작은 원의 지름)=(큰 원의 반지름)=16 cm
　　➡ (작은 원의 반지름)=(작은 원의 지름)÷2
　　　　　　　　　　　=16÷2=8 (cm)

3일 사고력·코딩　　　　**66**쪽~**67**쪽

/ 예 원 모양의 종이를 똑같이 둘로 나누어지도록 접었다가 펼쳐서 생기는 서로 다른 선분이 만나는 점은 원의 중심이 됩니다.

2 영아　　　　　　　**3** 24 cm
4 9 cm

2 지름의 크기를 비교합니다.
　　반지름이 13 cm인 원: 지름이 13×2=26 (cm)인 원
　　반지름이 15 cm인 원: 지름이 15×2=30 (cm)인 원
　　➡ 30 cm(영아)＞28 cm(경은)＞27 cm(가은)
　　　＞26 cm(연경)

3 (작은 원의 지름)=(작은 원의 반지름)×2
　　　　　　　　=6×2=12 (cm),
　　(큰 원의 반지름)=(작은 원의 지름)=12 cm
　　➡ (큰 원의 지름)=(큰 원의 반지름)×2
　　　　　　　　=12×2=24 (cm)

4 (작은 원의 지름)=(큰 원의 지름)÷3
　　　　　　　　=54÷3=18 (cm)
　　➡ (작은 원의 반지름)=(작은 원의 지름)÷2
　　　　　　　　　　　=18÷2=9 (cm)

4일 개념·원리 길잡이　　　　**68**쪽~**69**쪽

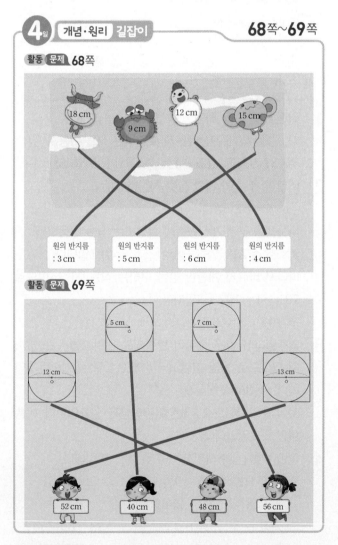

활동 문제 **68**쪽

활동 문제 **69**쪽

활동 문제 **68**쪽
(삼각형 ㄱㄴㄷ의 세 변의 길이의 합)=(원의 반지름)×3

(정사각형의 네 변의 길이의 합)＝(원의 지름)×4
＝(원의 반지름)×8

4일 서술형 길잡이 독해력 길잡이　**70**쪽~**71**쪽

1-1 14 cm
1-2 75÷3＝25 / 25 cm
1-3 14 cm
2-1 15 cm

2-2 정사각형 안에 가장 큰 원을 그렸습니다. 정사각형의 네 변의 길이의 합이 76 cm일 때 원의 지름은 몇 cm인지 구해 보세요.

／ 19 cm

2-3 16 cm

1-1 (원의 반지름)
＝(삼각형 ㄱㄴㄷ의 한 변의 길이)
＝(삼각형 ㄱㄴㄷ의 세 변의 길이의 합)÷3
➡ 42÷3＝14 (cm)

1-2 삼각형 ㄱㄴㄷ은 세 변의 길이가 모두 원의 반지름과 같습니다.

1-3 삼각형 ㄱㄴㄷ은 세 변의 길이가 모두
(원의 반지름)×2와 같습니다.
(삼각형의 세 변의 길이의 합)
＝(삼각형의 한 변의 길이)×3＝(원의 반지름)×2×3
＝(원의 반지름)×6,
(원의 반지름)＝(삼각형의 세 변의 길이의 합)÷6
➡ 84÷6＝14 (cm)

2-1 (원의 지름)＝(정사각형의 한 변의 길이)
＝(정사각형의 네 변의 길이의 합)÷4
＝60÷4＝15 (cm)

2-2 (원의 지름)＝(정사각형의 한 변의 길이)
＝(정사각형의 네 변의 길이의 합)÷4
＝76÷4＝19 (cm)

2-3 (선분 ㄱㄴ)＝(원의 지름),
(선분 ㄴㄷ)＝(원의 지름)×2,
(선분 ㄷㄹ)＝(원의 지름),
(선분 ㄱㄹ)＝(원의 지름)×2이므로
(직사각형의 네 변의 길이의 합)＝(원의 지름)×6입니다.
➡ (원의 지름)＝(직사각형의 네 변의 길이의 합)÷6
＝96÷6＝16 (cm)

4일 사고력·코딩　**72**쪽~**73**쪽

1 26 cm
2 36 cm
3 17 cm
4 162 cm
5 상혁

1 (원의 반지름)＝(원의 지름)÷2＝16÷2＝8 (cm)
이므로
(삼각형 ㅇㄱㄴ의 세 변의 길이의 합)
＝(선분 ㅇㄱ)＋(선분 ㄱㄴ)＋(선분 ㅇㄴ)
＝8＋10＋8＝26 (cm)입니다.

2 사각형 ㄱㄴㄷㄹ은 네 변의 길이가 모두
(원의 반지름)×2＝(원의 지름)과 같은 정사각형입니다.
➡ (정사각형의 네 변의 길이의 합)
＝(정사각형의 한 변의 길이)×4
＝(원의 지름)×4
＝9×4＝36 (cm)

3 사각형 ㄱㄴㄷㄹ의 네 변의 길이는 모두 원의 반지름과 같습니다.
➡ (원의 반지름)＝(사각형의 한 변의 길이)
＝(사각형의 네 변의 길이의 합)÷4
＝68÷4＝17 (cm)

4 (선분 ㄴㄱ)＝(선분 ㄴㄷ)＝(큰 훌라후프의 반지름),
(선분 ㄹㄷ)＝(선분 ㄹㄱ)＝(작은 훌라후프의 반지름)
이므로
(사각형 ㄱㄴㄷㄹ의 네 변의 길이의 합)
＝(선분 ㄱㄴ)＋(선분 ㄴㄷ)＋(선분 ㄷㄹ)＋(선분 ㄹㄱ)
＝95＋67＝162 (cm)입니다.

5 두 동전이 만나는 점이면서 삼각형 ㄱㄴㄷ의 변 위에 있는 점을 각각 점 ㄹ, 점 ㅁ, 점 ㅂ이라 하면
(선분 ㄱㄹ)
＝(선분 ㄱㅂ)
＝(10원짜리 동전의 반지름),
(선분 ㄴㄹ)＝(선분 ㄴㅁ)
＝(100원짜리 동전의 반지름),
(선분 ㄷㅁ)＝(선분 ㄷㅂ)
＝(10원짜리 동전의 반지름)
이므로
(삼각형 ㄱㄴㄷ의 세 변의 길이의 합)
＝(선분 ㄱㄹ)＋(선분 ㄱㅂ)＋(선분 ㄴㄹ)＋(선분 ㄴㅁ)
＋(선분 ㄷㅁ)＋(선분 ㄷㅂ)
＝18＋24＋18＝60 (mm)입니다.

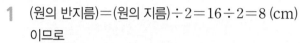
정답 및 해설

5일 개념·원리 길잡이 74쪽~75쪽

활동 문제 74쪽

활동 문제 75쪽

활동 문제 74쪽
컴퍼스의 침을 꽂는 곳은 원의 중심입니다.

 ➡ 5군데

 ➡ 2군데

 ➡ 3군데

 ➡ 4군데

활동 문제 75쪽
원의 중심이 이동하였는지 알아보고 원의 반지름이 커지거나 작아졌는지 알아봅니다.

5일 서술형 길잡이 독해력 길잡이 76쪽~77쪽

1-1 4군데

1-2 (1) 5개 (2) 5군데

1-3 9군데

2-1

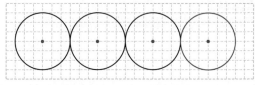

2-2
모눈종이에 컴퍼스를 사용하여 규칙에 따라 원을 3개 그렸습니다. 그린 규칙을 쓰고, 규칙에 따라 원을 1개 더 그려 보세요.

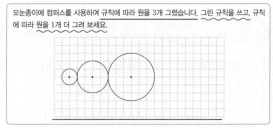

/ 예 원의 중심은 오른쪽으로 모눈 3칸, 5칸, 7칸으로 2칸씩 늘어나면서 이동하고
원의 반지름은 모눈 1칸, 2칸, 3칸, 4칸으로 1칸씩 늘어난 원을 그립니다. ;

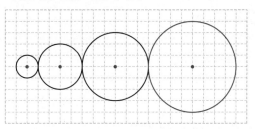

1-1

컴퍼스의 침을 꽂아야 할 곳은 원의 중심의 수와 같으므로 4군데입니다.

1-2

컴퍼스의 침을 꽂아야 할 곳은 원의 중심의 수와 같으므로 5군데입니다.

1-3

왼쪽 모양을 그리기 위해 컴퍼스의 침을 꽂아야 할 곳은 3군데, 오른쪽 모양을 그리기 위해 컴퍼스의 침을 꽂아야 할 곳은 6군데입니다.
➡ 3＋6＝9(군데)

2-1 원의 중심은 오른쪽으로 모눈 6칸 이동하고 원의 반지름은 모눈 3칸인 원을 그립니다.

5일 **사고력·코딩** 　　　　**78**쪽~**79**쪽

1 5군데

2 예) 3가지 모양의 공통점은 원의 중심이 모두 3개로 같습니다.

3

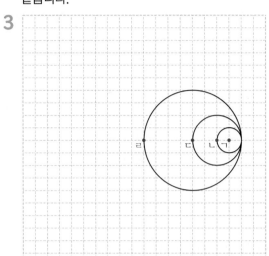

4 예) 원의 중심은 왼쪽으로 모눈 1칸, 2칸, 4칸으로 2 배씩 늘어나면서 이동하고 원의 반지름은 모눈 1칸, 2칸, 4칸으로 2배씩 늘어난 원을 그립니다.

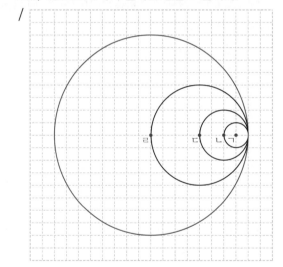

1

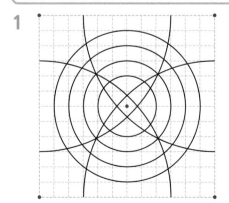

컴퍼스의 침을 꽂아야 할 곳은 원의 중심과 같으므로 5군데입니다.

2

컴퍼스의 침을 꽂아야 할 곳은 모두 3군데입니다라고 써도 됩니다.

2주 특강　　창의·융합·코딩　　**80**쪽~**85**쪽

1

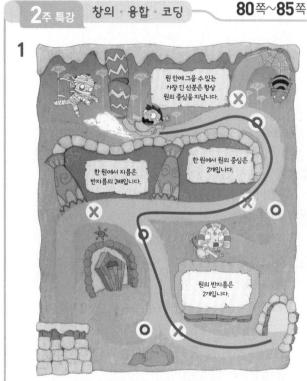

2

3

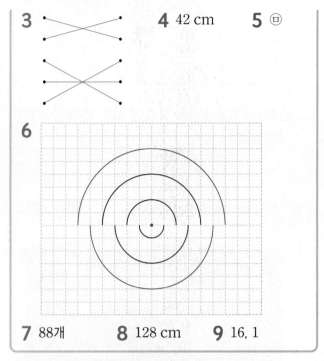

4 42 cm

5 ㉤

6

7 88개

8 128 cm

9 16, 1

1 한 원에서 원의 중심은 1개입니다.
원의 반지름은 무수히 많습니다.

2 (원의 지름)＝(원의 반지름)×2,
(원의 반지름)＝(원의 지름)÷2

3 65÷2＝32…1, 56÷3＝18…2, 87÷4＝21…3,
79÷5＝15…4, 263÷6＝43…5,
98÷3＝32…2, 85÷6＝14…1, 89÷7＝12…5,
516÷8＝64…4, 705÷9＝78…3

4 선분 ㄱㄴ의 길이는 원의 반지름의 7배와 같습니다.
➡ 6×7＝42 (cm)

5 ㉠ 6×12＝72, 72＋3＝75(개)
㉡ 7×9＝63, 63＋3＝66(개)
㉢ 5×14＝70, 70＋4＝74(개)
㉣ 4×17＝68, 68＋3＝71(개)
㉤ 8×9＝72, 72＋4＝76(개)

6 원의 중심은 그대로이고 원의 반지름은 모눈 1칸, 2칸,
3칸, 4칸으로 1칸씩 늘어난 원의 반을 아래쪽, 위쪽을
번갈아 그립니다.

7 (깃발과 깃발 사이의 간격 수)＝696÷8＝87(군데)
따라서 꽂은 깃발은 87＋1＝88(개)입니다.

8 (원 모양 색종이의 지름)＝4×2＝8 (cm)이고 둘러싼
선분의 길이의 합은 지름의 16배입니다.
➡ 8×16＝128 (cm)

9 빨간색 공에 써 있는 수를 파란색 공에 써 있는 수로
나누었을 때의 몫은 노란색 공에, 나머지는 초록색 공
에 써 있는 규칙입니다.

30÷4＝7…2, 63÷5＝12…3
➡ 97÷6＝16…1

누구나 100점 TEST 86쪽~87쪽

1 ㉠

2 예
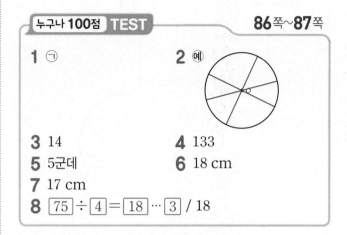

3 14

4 133

5 5군데

6 18 cm

7 17 cm

8 75 ÷ 4 ＝ 18 … 3 / 18

1 나머지는 나누는 수보다 항상 작습니다.
➡ ㉠ 나누는 수가 3이므로 나머지는 3보다 작습니다.

2 원 안에 그을 수 있는 가장 긴 선분은 지름이므로 원의
중심을 지나도록 선분을 3개 긋습니다.

3 (원의 지름)＝(원의 반지름)×2이므로 반지름이
7 cm인 원은 지름이 7×2＝14 (cm)입니다.

4 어떤 수를 □라 하면 □÷5＝26…3입니다.
➡ 5×26＝130, 130＋3＝□, □＝133

5
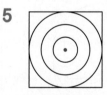

왼쪽 모양을 그리기 위해 컴퍼스의 침을 꽂아야 할 곳
은 1군데, 오른쪽 모양을 그리기 위해 컴퍼스의 침을
꽂아야 할 곳은 4군데입니다.
➡ 1＋4＝5(군데)

6 삼각형 ㄱㄴㄷ은 세 변의 길이가 모두 원의 반지름과
같습니다.
(원의 반지름)＝(삼각형의 한 변의 길이),
(삼각형의 세 변의 길이의 합)＝(원의 반지름)×3
➡ 6×3＝18 (cm)

7 (원의 지름)＝(정사각형의 한 변의 길이)
＝(정사각형의 네 변의 길이의 합)÷4
＝68÷4＝17 (cm)

8 7＞5＞4이므로 (가장 큰 두 자리 수)＝75,
(가장 작은 한 자리 수)＝4입니다.
➡ 75÷4＝18…3

3주

3주에는 무엇을 공부할까? ❷   90쪽~91쪽

1-1 (1) 2   (2) 10   **1-2** (1) 3   (2) 6

2-1 (1) 진 (2) 대 (3) 가   **2-2** $\frac{5}{7}$, $\frac{10}{6}$, $2\frac{2}{3}$

3-1 (1) $5\frac{1}{3}$ (2) $2\frac{5}{6}$ **3-2** (1) $\frac{11}{2}$ (2) $\frac{31}{4}$

4-1 (1) < (2) > (3) > (4) <

4-2 $\frac{19}{5}$, $\frac{6}{5}$

4-1 (3) $3\frac{1}{7} = \frac{22}{7}$이므로 $\frac{22}{7} > \frac{15}{7}$ → $3\frac{1}{7} > \frac{15}{7}$

      (4) $\frac{13}{8} = 1\frac{5}{8}$이므로 $1\frac{5}{8} < 2\frac{5}{8}$ → $\frac{13}{8} < 2\frac{5}{8}$

4-2 $1\frac{2}{5} = \frac{7}{5}$이므로 $\frac{6}{5} < 1\frac{2}{5} < \frac{19}{5}$입니다.

1일 개념·원리 길잡이   92쪽~93쪽

활동 문제 92쪽

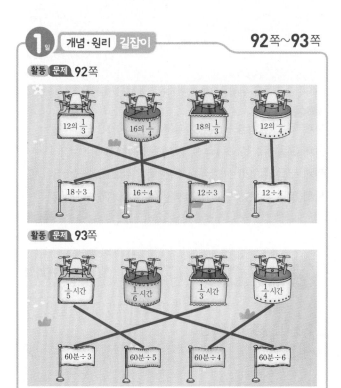

활동 문제 93쪽

활동 문제 92쪽

■의 $\frac{1}{\blacktriangle}$ → ■ ÷ ▲

활동 문제 93쪽

60분을 분모로 나눈 식을 찾습니다.

1일 서술형 길잡이   독해력 길잡이   94쪽~95쪽

1-1 수현, 3개

1-2 ① 6 ② 5, 5, 10 ③ 혜란에 ○표, 4 / 혜란, 4장

1-3 빨간색, 5장   **2-1** 영어 공부, 10분

2-2 민호는 $\frac{1}{5}$시간 동안 줄넘기를 하고, $\frac{5}{6}$시간 동안 달리기를 하였습니다. 민호가 줄넘기와 달리기를 한 시간은 모두 몇 분일까요?

     / 62분

2-3 오늘, 5분

1-1 수현: $18 \div 2 = 9$(개),

     민우: $18 \div 3 = 6$(개)

     → 수현이가 빵을 $9 - 6 = 3$(개) 더 많이 가집니다.

1-3 빨간색 색종이: 40장의 $\frac{1}{8}$은 $40 \div 8 = 5$(장)

                  40장의 $\frac{3}{8}$은 $5 \times 3 = 15$(장)

     파란색 색종이: 40장의 $\frac{1}{4}$은 $40 \div 4 = 10$(장)

     따라서 빨간색 색종이가 $15 - 10 = 5$(장) 더 많습니다.

2-1 (수학 공부를 한 시간)$= \frac{1}{3}$시간 → $60분 \div 3 = 20분$,

     (영어 공부를 한 시간)$= \frac{1}{2}$시간 → $60분 \div 2 = 30분$

     영어 공부를 $30 - 20 = 10$(분) 더 많이 하였습니다.

2-2 (줄넘기를 한 시간)$= \frac{1}{5}$시간 → $60분 \div 5 = 12분$

     (달리기를 한 시간)$= \frac{5}{6}$시간 → $\frac{1}{6}$시간은

     $60분 \div 6 = 10분$이므로 $\frac{5}{6}$시간은 $10분 \times 5 = 50분$입니다.

     따라서 줄넘기와 달리기를 한 시간은 모두

     $12 + 50 = 62$(분)입니다.

2-3 (어제 그림을 그린 시간)$= \frac{2}{3}$시간

     → $\frac{1}{3}$시간은 $60분 \div 3 = 20분$이므로

        $\frac{2}{3}$시간은 $20분 \times 2 = 40분$입니다.

     (오늘 그림을 그린 시간)$= \frac{3}{4}$시간

     → $\frac{1}{4}$시간은 $60분 \div 4 = 15분$이므로

        $\frac{3}{4}$시간은 $15분 \times 3 = 45분$입니다.

     오늘 그림을 $45 - 40 = 5$(분) 더 많이 그렸습니다.

1일 사고력·코딩 **96**쪽~**97**쪽

1 (1) 25 cm (2) 75 cm (3) 20 cm (4) 80 cm

2 예

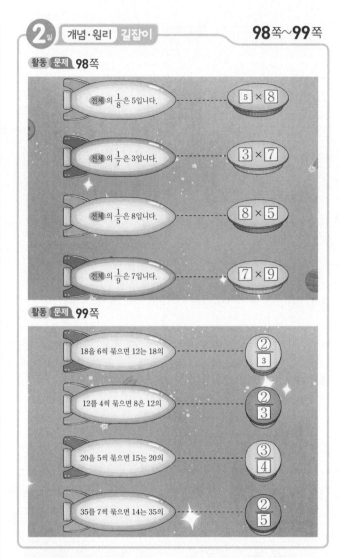

3 12

4

일	월	화	수	목	금	토
						1
2	3	4	5	6	7	8
9	10	11	12	13	14 ☀	15 ☀

1 1 m＝100 cm입니다.

(1) $\frac{1}{4}$ m는 1 m를 똑같이 4로 나눈 것 중의 1입니다.
  └ 100 cm
  ➡ 100 cm÷4＝25 cm

(2) $\frac{3}{4}$ m는 $\frac{1}{4}$ m의 3배이므로 25 cm×3＝75 cm

(3) $\frac{1}{5}$ m는 1 m를 똑같이 5로 나눈 것 중의 1입니다.
  └ 100 cm
  ➡ 100 cm÷5＝20 cm

(4) $\frac{4}{5}$ m는 $\frac{1}{5}$ m의 4배이므로 20 cm×4＝80 cm

2 잠을 자는 시간: 24시간의 $\frac{1}{3}$ ➡ 24시간÷3＝8시간

학교에 있는 시간: 24시간의 $\frac{1}{4}$ ➡ 24시간÷4＝6시간

원은 24칸으로 나누어져 있으므로 8칸에 빨간색,
6칸에 초록색, 나머지 칸에 파란색을 색칠합니다.

3 20의 $\frac{1}{5}$ 은 20÷5＝4이므로

20의 $\frac{3}{5}$ 은 4×3＝12입니다.

➡ 12는 10보다 크므로 결과를 출력합니다.

4 비 온 날: 15일의 $\frac{1}{5}$ 이므로 15÷5＝3(일)

흐린 날: 15일의 $\frac{2}{3}$ 이므로 15일의 $\frac{1}{3}$ 은 15÷3＝5(일),

15일의 $\frac{2}{3}$ 는 5×2＝10(일)

맑은 날: 15－3－10＝2(일)

2일 개념·원리 길잡이 **98**쪽~**99**쪽

활동 문제 **98**쪽

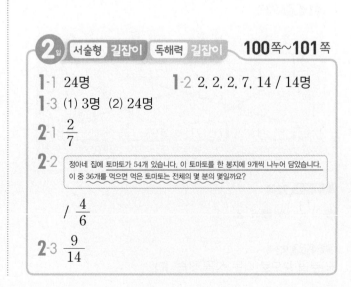

활동 문제 **99**쪽

전체 묶음 수: 18÷6＝3, 부분 묶음 수: 12÷6＝2
전체 묶음 수: 12÷4＝3, 부분 묶음 수: 8÷4＝2
전체 묶음 수: 20÷5＝4, 부분 묶음 수: 15÷5＝3
전체 묶음 수: 35÷7＝5, 부분 묶음 수: 14÷7＝2

2일 서술형 길잡이 독해력 길잡이 **100**쪽~**101**쪽

1-1 24명   **1**-2 2, 2, 2, 7, 14 / 14명
1-3 (1) 3명 (2) 24명
2-1 $\frac{2}{7}$

2-2 정아네 집에 토마토가 54개 있습니다. 이 토마토를 한 봉지에 9개씩 나누어 담았습니다. 이 중 36개를 먹으면 먹은 토마토는 전체의 몇 분의 몇일까요?

  / $\frac{4}{6}$

2-3 $\frac{9}{14}$

1-1 반 전체의 $\frac{1}{4}$이 6명이므로

반 전체 학생은 $6 \times 4 = 24$(명)입니다.

1-3 (1) 반 전체 학생 수의 $\frac{3}{8}$이 9명이므로

$\frac{1}{8}$은 $9 \div 3 = 3$(명)입니다.

(2) $3 \times 8 = 24$(명)

2-1 전체 35개를 5개씩 묶으면

전체 묶음 수는 $35 \div 5 = 7$(묶음),

아랫집에 주는 10개를 5개씩 묶으면

아랫집에 주는 묶음 수는 $10 \div 5 = 2$(묶음)입니다.

➡ 아랫집에 주는 10개는 전체 35개의 $\frac{2}{7}$입니다.

2-2 전체 54개를 9개씩 묶으면

전체 묶음 수는 $54 \div 9 = 6$(묶음),

먹은 토마토 36개를 9개씩 묶으면

먹은 토마토 묶음 수는 $36 \div 9 = 4$(묶음)입니다.

➡ 먹은 토마토 36개는 전체 54개의 $\frac{4}{6}$입니다.

2-3 전체 28개를 2개씩 묶으면 $28 \div 2 = 14$(묶음),

먹은 감자 10개를 2개씩 묶으면 $10 \div 2 = 5$(묶음)이므로 남은 감자는 $14 - 5 = 9$(묶음)입니다.

따라서 남은 감자는 전체의 $\frac{9}{14}$입니다.

[다른 풀이]
남은 감자는 $28 - 10 = 18$(개)입니다.
전체 묶음 수는 $28 \div 2 = 14$(묶음),
남은 감자의 묶음 수는 $18 \div 2 = 9$(묶음)이므로
남은 감자는 전체의 $\frac{9}{14}$입니다.

2일 사고력·코딩   102쪽~103쪽

1 (1) $\frac{4}{7}$ (2) $\frac{5}{9}$

2 (1) [바둑판 그림]

(2) [바둑판 그림]

3 6

4 2는 6의 $\frac{1}{3}$입니다. 2는 12의 $\frac{1}{6}$입니다.

3은 6의 $\frac{1}{2}$입니다. 3은 12의 $\frac{1}{4}$입니다.

4는 12의 $\frac{1}{3}$입니다. 6은 12의 $\frac{1}{2}$입니다.

1 (1) 14를 2씩 묶으면

(전체 묶음 수)$= 14 \div 2 = 7$(묶음),

(부분 묶음 수)$= 8 \div 2 = 4$(묶음)입니다.

따라서 8은 14의 $\frac{4}{7}$입니다.

(2) 27을 3씩 묶으면

(전체 묶음 수)$= 27 \div 3 = 9$(묶음),

(부분 묶음 수)$= 15 \div 3 = 5$(묶음)입니다.

따라서 15는 27의 $\frac{5}{9}$입니다.

2 (1) 빨간 구슬은 세로로 2줄입니다. 이것이 전체의 $\frac{2}{7}$

이므로 세로 1줄은 전체의 $\frac{1}{7}$입니다.

따라서 전체 구슬이 세로로 7줄이 되도록 파란 구슬을 5줄 색칠합니다.

(2) 빨간 구슬 9개가 전체의 $\frac{3}{5}$이므로 전체의 $\frac{1}{5}$은

$9 \div 3 = 3$(개)입니다.

따라서 전체 구슬이 3씩 5묶음이 되도록 파란 구슬을 3씩 2묶음 색칠합니다.

3 어떤 수의 $\frac{1}{6}$은 12, 8, 4, 16 중에서 가장 작은 수인 4입니다.

어떤 수의 $\frac{1}{6}$이 4이므로 어떤 수는 $4 \times 6 = 24$입니다.

따라서 24의 $\frac{1}{4}$은 $24 \div 4 = 6$입니다.

4 ㉠은/는 ㉡의 $\frac{1}{㉢}$입니다.

㉠에 2를 넣고, ㉡에 3, 4, 6, 12를 넣었을 때 ㉢에 올 수 있는 수가 있는지 확인합니다.

➡ 2는 3의 $\frac{1}{\square}$입니다.(×),

2는 4의 $\frac{1}{2}$입니다.(×) ─2가 두 번

2는 6의 $\frac{1}{3}$입니다.(○)

2는 12의 $\frac{1}{6}$입니다.(○)

이와 같이 ㉠에 3, 4, 6, 12를 넣어 문장을 만들어 봅니다.

3일 개념·원리 길잡이　　　　**104**쪽~**105**쪽

활동 문제 **104**쪽

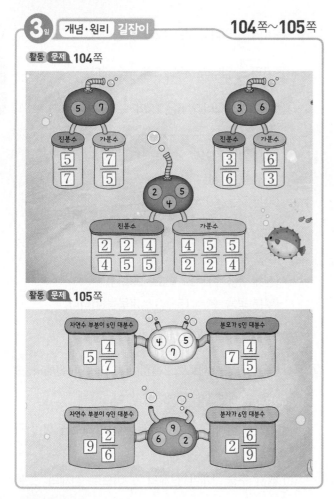

활동 문제 **105**쪽

활동 문제 **104**쪽

2, 4, 5로 진분수를 만들 때에는 분모가 4, 5인 경우로 나누어 생각합니다.

2, 4, 5로 가분수를 만들 때에는 분모가 2, 4인 경우로 나누어 생각합니다.

3일 서술형 길잡이　독해력 길잡이　　**106**쪽~**107**쪽

1-1 $\dfrac{49}{5}$

1-2 작은 수에 ○표, 큰 수에 ○표, $\dfrac{7}{3}$, $\dfrac{7}{3}$, $2\dfrac{1}{3}$ / $2\dfrac{1}{3}$

1-3 (1) $\dfrac{4}{6}$, $\dfrac{4}{8}$, $\dfrac{6}{8}$　(2) $\dfrac{4}{8}$

2-1 $3\dfrac{4}{5}$, $3\dfrac{4}{6}$, $3\dfrac{5}{6}$

2-2
> 4장의 수 카드 중 3장을 골라 한 번씩 사용하여 7보다 큰 대분수를 만들려고 합니다. 만들 수 있는 대분수를 모두 써 보세요.
>
> 2　3　6　8

/ $8\dfrac{2}{3}$, $8\dfrac{2}{6}$, $8\dfrac{3}{6}$

2-3 $5\dfrac{2}{4}$, $5\dfrac{2}{7}$, $5\dfrac{4}{7}$, $7\dfrac{2}{4}$, $7\dfrac{2}{5}$, $7\dfrac{4}{5}$

1-1 가장 큰 대분수는 자연수 부분에 가장 큰 수를 넣은 $9\dfrac{4}{5}$입니다. $9\dfrac{4}{5}$를 가분수로 바꾸면 $\dfrac{49}{5}$입니다.

1-3 (2) $\dfrac{4}{6}>\dfrac{4}{8}$이고 $\dfrac{4}{8}<\dfrac{6}{8}$이므로 가장 작은 수는 $\dfrac{4}{8}$입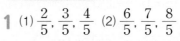
　　　└ 분자가 같으므로 분모가 클수록 작습니다.
　　니다.

2-1 자연수 부분에 3을 넣어 대분수를 만들어 보면 $3\dfrac{4}{5}$, $3\dfrac{4}{6}$, $3\dfrac{5}{6}$입니다.

2-2 7보다 큰 대분수는 자연수 부분이 7이거나 7보다 커야 합니다. 따라서 자연수 부분에 8을 넣어 대분수를 만들어 보면 $8\dfrac{2}{3}$, $8\dfrac{2}{6}$, $8\dfrac{3}{6}$입니다.

2-3 5보다 큰 대분수는 자연수 부분이 5이거나 5보다 커야 합니다. 따라서 자연수 부분에 5를 넣어 대분수를 만들어 보면 $5\dfrac{2}{4}$, $5\dfrac{2}{7}$, $5\dfrac{4}{7}$입니다.

자연수 부분에 7을 넣어 대분수를 만들어 보면 $7\dfrac{2}{4}$, $7\dfrac{2}{5}$, $7\dfrac{4}{5}$입니다.

3일 사고력·코딩　　　　**108**쪽~**109**쪽

1 (1) $\dfrac{2}{5}$, $\dfrac{3}{5}$, $\dfrac{4}{5}$　(2) $\dfrac{6}{5}$, $\dfrac{7}{5}$, $\dfrac{8}{5}$

　 (3) $\dfrac{6}{7}$, $\dfrac{6}{8}$　(4) $\dfrac{6}{2}$, $\dfrac{6}{3}$, $\dfrac{6}{4}$, $\dfrac{6}{5}$

2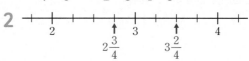

3 (1) 예 세 수를 사용하여 만들 수 있는 대분수 중 가장 작은 수가 나옵니다.

　 (2) $3\dfrac{6}{7}$, $1\dfrac{6}{8}$

4 $\dfrac{5}{9}$

1 (1) 분모가 5인 진분수는 분자가 5보다 작아야 합니다.

　➡ $\dfrac{2}{5}$, $\dfrac{3}{5}$, $\dfrac{4}{5}$

　 (2) 분모가 5인 가분수는 분자가 5보다 커야 합니다.

　➡ $\dfrac{6}{5}$, $\dfrac{7}{5}$, $\dfrac{8}{5}$

(3) 분자가 6인 진분수는 분모가 6보다 커야 합니다.

→ $\dfrac{6}{7}$, $\dfrac{6}{8}$

(4) 분자가 6인 가분수는 분모가 6보다 작아야 합니다.

→ $\dfrac{6}{2}$, $\dfrac{6}{3}$, $\dfrac{6}{4}$, $\dfrac{6}{5}$

2 만들 수 있는 대분수는 $2\dfrac{3}{4}$, $3\dfrac{2}{4}$, $4\dfrac{2}{3}$입니다.

이 중 분모가 4인 대분수는 $2\dfrac{3}{4}$, $3\dfrac{2}{4}$입니다.

수직선에서 2와 3 사이, 3과 4 사이는 각각 작은 눈금 4칸으로 나누어져 있으므로 작은 눈금 1칸은 $\dfrac{1}{4}$을 나타냅니다.

따라서 $2\dfrac{3}{4}$은 2에서 작은 눈금 3칸 더 간 곳을,

$3\dfrac{2}{4}$는 3에서 작은 눈금 2칸 더 간 곳을 나타냅니다.

3 (1) '자연수 부분에 가장 작은 수를 넣고 나머지 수로 분수 부분을 만든 수입니다.' 등 다양한 표현이 가능합니다.

4 진분수는 대분수와 가분수보다 작으므로 가장 작은 진분수를 만듭니다.

만들 수 있는 진분수는 $\dfrac{5}{7}$, $\dfrac{5}{9}$, $\dfrac{7}{9}$입니다.

$\dfrac{5}{7} > \dfrac{5}{9}$, $\dfrac{5}{9} < \dfrac{7}{9}$이므로 가장 작은 분수는 $\dfrac{5}{9}$입니다.

4일 **개념·원리 길잡이** **110쪽~111쪽**

활동 문제 110쪽
❶ 1 ❷ 9 ❸ 4 ❹ 9

활동 문제 111쪽
❶ 6, 5, 4 / 1, 7 / $\dfrac{1}{7}$

❷ 7, 6, 5 / 4, 5 / $\dfrac{5}{4}$

활동 문제 110쪽

❶ $\dfrac{6}{9} > \dfrac{\square}{9}$ → 6 > □이므로 □ 안에 알맞은 수는 1입니다.

❷ $\dfrac{7}{15} < \dfrac{\square}{15}$ → 7 < □이므로 □ 안에 알맞은 수는 9입니다.

❸ $1\dfrac{5}{7} > 1\dfrac{\square}{7}$ → 5 > □이므로 □ 안에 알맞은 수는 4입니다.

❹ $\square\dfrac{2}{9} > 6\dfrac{5}{9}$ → □ > 60이므로 □ 안에 알맞은 수는 9입니다.

4일 **서술형 길잡이** **독해력 길잡이** **112쪽~113쪽**

1-1 13개

1-2 (1) $5\dfrac{1}{7}$ (2) 4, 3, 2, 1 (3) 4개

1-3 6개

2-1 $\dfrac{4}{3}$

2-2

> **조건** 을 모두 만족하는 분수를 구해 보세요.
>
> **조건**
> • 진분수입니다.
> • 분모와 분자의 합은 13입니다.
> • 분모와 분자의 차는 7입니다.

／ $\dfrac{3}{10}$

2-3 $1\dfrac{2}{13}$

1-1 $2\dfrac{4}{5} = \dfrac{14}{5}$이므로 $\dfrac{14}{5} > \dfrac{\bullet}{5}$ → 14 > ●입니다.

따라서 ● 안에 들어갈 수 있는 자연수는 1부터 13까지 모두 13개입니다.

1-2 (2) $5\dfrac{1}{7} > \dfrac{\bullet 4}{7}$이므로 5 > ●에서 ● = 4, 3, 2, 1이 들어갈 수 있습니다.

> **(주의)**
> 먼저 ● = 5가 될 수 있는지 분수의 크기를 비교해 봅니다.

1-3 $\dfrac{55}{8} = 6\dfrac{7}{8}$이므로 $\dfrac{\bullet 5}{8} < 6\dfrac{7}{8}$입니다.

따라서 ● = 6, 5, 4, 3, 2, 1로 6개입니다.

2-1 두 수의 합이 7인 경우는 (1, 6), (2, 5), (3, 4)입니다.

이 중 차가 1인 경우는 (3, 4)입니다.

이 두 수로 가분수를 만들면 $\dfrac{4}{3}$입니다.

2-2 두 수의 합이 13인 경우는 (1, 12), (2, 11), (3, 10), (4, 9), (5, 8), (6, 7)입니다.

이 중 차가 7인 경우는 (3, 10)입니다.

이 두 수로 진분수를 만들면 $\dfrac{3}{10}$입니다.

2-3 두 수의 합이 15인 경우는 (1, 14), (2, 13), (3, 12), (4, 11), (5, 10), (6, 9), (7, 8)입니다.

이 중 차가 11인 경우는 (2, 13)입니다.

이 두 수를 분수 부분으로 하고, 2보다 작은 대분수를 만들면 $1\dfrac{2}{13}$입니다.

└ 2보다 작은 대분수이어야 하므로 자연수 부분에 1을 씁니다.

4일 사고력·코딩 **114**쪽~**115**쪽

1 >,

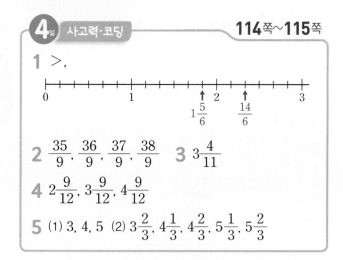

2 $\dfrac{35}{9}$, $\dfrac{36}{9}$, $\dfrac{37}{9}$, $\dfrac{38}{9}$ **3** $3\dfrac{4}{11}$

4 $2\dfrac{9}{12}$, $3\dfrac{9}{12}$, $4\dfrac{9}{12}$

5 (1) 3, 4, 5 (2) $3\dfrac{2}{3}$, $4\dfrac{1}{3}$, $4\dfrac{2}{3}$, $5\dfrac{1}{3}$, $5\dfrac{2}{3}$

1 수직선에서 0에서 1까지, 1에서 2까지, 2에서 3까지가 각각 6칸으로 나누어져 있으므로 작은 눈금 한 칸은 $\dfrac{1}{6}$을 나타냅니다. $\dfrac{14}{6}$는 0에서 14칸 떨어진 수, $1\dfrac{5}{6}=\dfrac{11}{6}$은 0에서 11칸 떨어진 수입니다. 수직선에서 오른쪽으로 갈수록 큰 수이므로 $\dfrac{14}{6}>1\dfrac{5}{6}$입니다.

2 $3\dfrac{7}{9}=\dfrac{34}{9}$, $4\dfrac{3}{9}=\dfrac{39}{9}$이므로 $\dfrac{34}{9}<♣<\dfrac{39}{9}$입니다. 따라서 ♣ 안에 들어갈 수 있는 분수 중에서 분모가 9인 가분수는 $\dfrac{35}{9}$, $\dfrac{36}{9}$, $\dfrac{37}{9}$, $\dfrac{38}{9}$입니다.

3 □ 안에 1을 넣으면 가=$1\dfrac{4}{11}$입니다.
$3\dfrac{1}{11}<1\dfrac{4}{11}$가 아니므로 가를 $1+1=2$로 바꾸어 다시 크기를 비교해 봅니다.
이런 식으로 비교하면 $3\dfrac{1}{11}<2\dfrac{4}{11}$(아니요), $3\dfrac{1}{11}<3\dfrac{4}{11}$(예)이므로 가=$3\dfrac{4}{11}$를 출력합니다.

4 분자가 9인 대분수는 $□\dfrac{9}{□}$ 모양입니다.
분모와 분자의 차는 3이므로 분모는 12입니다.
➔ $2<□\dfrac{9}{12}<5$에 알맞은 분수는 $2\dfrac{9}{12}$, $3\dfrac{9}{12}$, $4\dfrac{9}{12}$입니다.

5 (2) 자연수 부분에 3을 넣어 보면 $3\dfrac{2}{3}$,
자연수 부분에 4를 넣어 보면 $4\dfrac{1}{3}$, $4\dfrac{2}{3}$,
자연수 부분에 5를 넣어 보면 $5\dfrac{1}{3}$, $5\dfrac{2}{3}$입니다.

5일 개념·원리 길잡이 **116**쪽~**117**쪽

활동 문제 **116**쪽

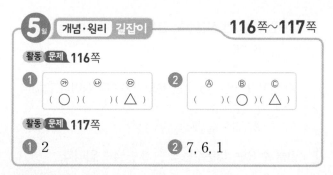

활동 문제 **117**쪽

1 2   **2** 7, 6, 1

활동 문제 **116**쪽
부은 횟수가 가장 적은 컵에 ○표, 부은 횟수가 가장 많은 컵에 △표 합니다.

5일 서술형 길잡이 독해력 길잡이 **118**쪽~**119**쪽

1-1 예 3 L들이 물통에 물을 가득 담아 수조에 2번 붓고, 7 L들이 물통에 물을 가득 담아 수조에 1번 부으면 13 L가 됩니다.

1-2 방법1 7, 4, 3 / 3, 10
방법2 예 수조에 있는 물을 4 L들이 물통에 가득 담아 1번 덜어내면 수조에 담긴 물은 14 L−4 L=10 L입니다.

2-1 민아

2-2 두 친구가 컵을 한 개씩 가지고 있습니다. 같은 크기의 주전자에 각자 물을 가득 담기 위해 가지고 있는 컵으로 민석이가 5번, 희준이가 9번을 부었습니다. 들이가 많은 컵을 가지고 있는 친구는 누구일까요?

/ 민석

2-3 ㉯, ㉮, ㉰

1-1 예 ① 3 L들이 물통에 물을 가득 담아 수조에 3번 붓습니다.
② 7 L들이 물통에 물을 가득 담아 3 L들이 물통에 가득 채워질 때까지 부으면 7 L들이 물통에 4 L가 남습니다.
③ 7 L들이 물통에 남은 물 4 L를 수조에 붓습니다.
➔ $3+3+3+4=13$ (L)

2-1 각 컵으로 부은 횟수가 많을수록 컵의 들이가 적습니다.
➔ $10>9$이므로 들이가 적은 컵을 가지고 있는 친구는 민아입니다.

2-2 각 컵으로 부은 횟수가 적을수록 컵의 들이가 많습니다.
➔ $5<8$이므로 들이가 많은 컵을 가지고 있는 친구는 민석입니다.

2-3 각 컵으로 부은 횟수가 적을수록 컵의 들이가 많습니다.
➔ $2<4<7$이므로 들이가 많은 컵부터 순서대로 쓰면 ㉯, ㉮, ㉰입니다.

5일 사고력·코딩　　　**120**쪽~**121**쪽

1 ㉯, ㉮　　　　　**2** (1) 1 L　(2) 13 L

3 A 물통, 3 L

4 (1) 예) 200 mL들이 잔으로 2번, 300 mL들이 잔
　　으로 1번 담으면 700 mL입니다.

　　　➡ 200 mL＋200 mL＋300 mL
　　　　＝700 mL

　(2) 예) 300 mL들이 잔에 물을 가득 담아 200 mL
　　들이 잔에 가득 채워질 때까지 부으면
　　300 mL들이 잔에 100 mL가 남습니다.

1 같은 컵으로 부은 횟수가 많을수록 들이가 많습니다.

2 (1) 5 L＋5 L－9 L＝1 L

　(2) 9 L들이 물통에 물을 가득 담아 5 L들이 물통에
　　가득 부으면 9 L들이 물통에는 9 L－5 L＝4 L
　　가 남습니다. ➡ 9 L＋4 L＝13 L

3 부은 횟수가 적을수록 들이가 많습니다.

　2＜3이므로 A 물통의 들이가 더 많고, 2번 부어 가득
　차므로 6 L＝3 L＋3 로 3 L입니다.

4 (1)　┌ 다른 풀이 ┐

　　300 mL들이 잔으로 3번 담은 다음 200 mL들이
　　잔으로 1번 덜어내면 700 mL가 됩니다.

　　➡ 300 mL＋300 mL＋300 mL－200 mL
　　　＝ 700 mL

3주 특강　창의·융합·코딩　　**122**쪽~**127**쪽

1

2

3 $\frac{5}{6}$　　　　　　　**4** 1, 2

5 ❶ 예) 분자가 분모와 같거나 분모보다 큰 분수야.

　　❷ $\frac{21}{17}$

6 예) 500 mL들이 물통에 물을 가득 담아 2번 채운
　　후 700 mL들이 물통으로 가득 담아 1번 덜어내
　　면 300 mL가 남습니다.

7 ❶ $4\frac{3}{5}$, $2\frac{1}{5}$　❷ $\frac{35}{8}$, $4\frac{5}{8}$　❸ $\frac{23}{7}$, $\frac{31}{7}$

8 ❶ 20명　❷ 1명을 더합니다.
　　❸ 10, 5, 4, 1　❹ 10＋5＋4＝19(명)

1 $6\frac{7}{8}$ ➡ 6은 $\frac{1}{8}$이 48개, $\frac{7}{8}$은 $\frac{1}{8}$이 7개이므로

　　$6\frac{7}{8}=\frac{55}{8}$입니다.

　$\frac{17}{7}$ ➡ 17 안에 7이 2번 들어가고 3이 남으므로

　　$\frac{17}{7}=2\frac{3}{7}$입니다.

　$7\frac{1}{8}$ ➡ 7은 $\frac{1}{8}$이 56개, $\frac{1}{8}$은 $\frac{1}{8}$이 1개이므로

　　$7\frac{1}{8}=\frac{57}{8}$입니다.

　$\frac{19}{7}$ ➡ 19 안에 7이 2번 들어가고 5가 남으므로

　　$\frac{19}{7}=2\frac{5}{7}$입니다.

2 $\frac{2}{3}$시간 ➡ 60÷3＝20(분), 20×2＝40(분)
　　　　　　└ $\frac{1}{3}$시간　└ $\frac{2}{3}$시간

　$\frac{1}{2}$시간 ➡ 60÷2＝30(분)

$\dfrac{3}{4}$시간 ➡ $\underbrace{60÷4=15(분)}_{\frac{1}{4}시간}$, $\underbrace{15×3=45(분)}_{\frac{3}{4}시간}$

$\dfrac{2}{5}$시간 ➡ $\underbrace{60÷5=12(분)}_{\frac{1}{5}시간}$, $\underbrace{12×2=24(분)}_{\frac{2}{5}시간}$

$\dfrac{5}{6}$시간 ➡ $\underbrace{60÷6=10(분)}_{\frac{1}{6}시간}$, $\underbrace{10×5=50(분)}_{\frac{5}{6}시간}$

3 $\dfrac{\square}{6}$에서 □에 10, 9, 8, 7……을 넣어보면 처음으로 진분수가 될 때는 $\dfrac{5}{6}$입니다. ➡ $\dfrac{5}{6}$를 출력합니다.

4 주사위에서 나온 눈의 수를 1회는 자연수 부분, 2회는 분모, 3회는 분자에 써서 대분수를 만듭니다.
따라서 $5\dfrac{\square}{3}$를 대분수로 만들려면 □=1, 2가 되어야 합니다.

5 ❷ 두 수의 합이 38인 경우는 (19, 19), (18, 20), (17, 21), (16, 22)……입니다.
이 중 차가 4인 경우는 (17, 21)입니다.
이 두 수로 가분수를 만들면 $\dfrac{21}{17}$입니다.

6 〔다른 풀이〕
500 mL들이 물통에 물을 가득 채운 후 700 mL들이 물통에 붓습니다. 다시 500 mL들이 물통에 물을 가득 채운 후 700 mL들이 물통에 가득 채워질 때까지 부으면 500 mL들이 물통에 300 mL가 남습니다.

7 ❶ $\dfrac{21}{5}=4\dfrac{1}{5}$ ➡ $4\dfrac{1}{5}<4\dfrac{3}{5}$,
$\dfrac{12}{5}=2\dfrac{2}{5}$ ➡ $2\dfrac{2}{5}>2\dfrac{1}{5}$

❷ $4\dfrac{3}{8}=\dfrac{35}{8}$, $\dfrac{36}{8}=4\dfrac{4}{8}$ ➡ $4\dfrac{5}{8}>4\dfrac{4}{8}$

❸ $3\dfrac{3}{7}=\dfrac{24}{7}$ ➡ $\dfrac{23}{7}<\dfrac{24}{7}$, $4\dfrac{3}{7}=\dfrac{31}{7}$

〔주의〕
시소가 큰 수 쪽으로 내려가고, 작은 수 쪽으로 올라갑니다. 수의 크기를 비교한 후 큰 수를 써야 할지, 작은 수를 써야 할지 주의해서 생각하세요.

8 ❶ 5로 나눌 수 있는 수: 5, 10, 15, 20, 25……
이 중 4로 나눌 수 있는 수: 20……
20은 2로도 나눌 수 있습니다.

❸ 20의 $\dfrac{1}{2}$은 10, 20의 $\dfrac{1}{4}$은 5, 20의 $\dfrac{1}{5}$은 4입니다.

〔누구나 **100점** **TEST**〕 **128**쪽~**129**쪽

1 (1) 16 (2) 15   **2** 9, 7
3 ㉯, ㉰, ㉮   **4** 18명
5 48개   **6** 8, 9, 10, 11, 12
7 민우   **8** $\dfrac{11}{5}$ **9** $\dfrac{31}{4}$

1 (1) 20의 $\dfrac{1}{5}$은 20÷5=4이므로
20의 $\dfrac{4}{5}$는 4×4=16입니다.

(2) 24의 $\dfrac{1}{8}$은 24÷8=30이므로
24의 $\dfrac{5}{8}$는 3×5=15입니다.

2 45를 5씩 묶으면 9묶음이고 15를 5씩 묶으면 3묶음입니다. ➡ 15는 45의 $\dfrac{3}{9}$입니다.
45를 5씩 묶으면 9묶음이고 35를 5씩 묶으면 7묶음입니다. ➡ 35는 45의 $\dfrac{7}{9}$입니다.

3 물을 부은 횟수가 적을수록 컵의 들이가 많습니다.

4 반 전체의 $\dfrac{1}{6}$이 3명이므로
반 전체 학생은 3×6=18(명)입니다.

5 전체 호두의 $\dfrac{3}{8}$이 18개이므로 $\dfrac{1}{8}$은 18÷3=6(개)입니다.
➡ (민유가 처음에 가지고 있던 호두)=6×8=48(개)

6 $1\dfrac{1}{6}=\dfrac{7}{6}$이므로 $\dfrac{7}{6}<\dfrac{\bullet}{6}<\dfrac{13}{6}$입니다.
➡ ●=8, 9, 10, 11, 12

7 민우가 모은 딱지는 30장의 $\dfrac{5}{6}$이므로 25장이고,
정석이가 모은 딱지는 35장의 $\dfrac{3}{5}$이므로 21장입니다.
따라서 25>21이므로 딱지를 민우가 더 많이 모았습니다.

8 두 수의 합인 16인 경우는 (1, 15), (2, 14), (3, 13), (4, 12), (5, 11), (6, 10), (7, 9), (8, 8)입니다.
이 중 차가 6인 경우는 (5, 11)입니다.
이 두 수로 가분수를 만들면 $\dfrac{11}{5}$입니다.

9 가장 큰 대분수를 만들려면 자연수 부분에 가장 큰 수를 놓아야 하므로 수 카드로 만들 수 있는 가장 큰 대분수는 $7\dfrac{3}{4}$입니다. ➡ $7\dfrac{3}{4}=\dfrac{31}{4}$

4주

4주에는 무엇을 공부할까? ❷　132쪽~133쪽

1-1 (1) 2500　(2) 4800

1-2 (1) 8, 700　(2) 3, 200

2-1 (1) 8 L 100 mL　(2) 8 kg 600 g

2-2 (1) 3 L 800 mL　(2) 1 kg 600 g

3-1 (1) 22, 13

(2) 학생들이 좋아하는 악기

악기	학생 수
피아노	👤👤 👤👤👤
기타	👤👤👤 👤👤👤👤👤
플루트	👤 👤👤👤

👤10명　👤1명

3-2 (1) 오이, 가지

(2) 학생들이 좋아하는 채소

채소	학생 수
오이	👤👤 👤👤👤
가지	👤 👤👤
당근	👤 👤👤👤👤👤

👤10명　👤1명

1-1 (1) 2 L 500 mL＝2000 mL＋500 mL
＝2500 mL

(2) 4 kg 800 g＝4000 g＋800 g
＝4800 g

1-2 (1) 8700 mL＝8000 mL＋700 mL
＝8 L 700 mL

(2) 3200 g＝3000 g＋200 g
＝3 kg 200 g

2-2 (1)
	4	1000
	5̶ L	100 mL
−	1 L	300 mL
	3 L	800 mL

(2)
	2	1000
	3̶ kg	200 g
−	1 kg	600 g
	1 kg	600 g

3-1 (2) 플루트를 좋아하는 학생은 13명이므로 큰 그림 1
개, 작은 그림 3개를 그립니다.

3-2 (2) 오이를 좋아하는 학생은 23명이므로 큰 그림 2개,
작은 그림 3개를 그립니다.

❶일 개념·원리 길잡이　134쪽~135쪽

활동 문제 134쪽

❶ 800 mL　　　　❷ 37 mL

❸ 1 L 600 mL(＝1600 mL)

❹ 2 L 100 mL(＝2100 mL)

활동 문제 135쪽

❶ 200, 100　　　❷ 2, 100 / 1, 50

❸ 2, 800 / 1, 400

활동 문제 134쪽

❶ 1 L를 똑같이 10으로 나누었으므로 작은 눈금 한 칸은
100 mL입니다. (0.8 L라고 써도 정답입니다.)

❷ 큰 눈금 한 칸은 10 mL이고, 작은 눈금 한 칸은
1 mL이므로 물의 양은 37 mL입니다.

❸ 작은 눈금 한 칸은 100 mL입니다. 2 L보다 4칸 밑에
있으므로 1 L 600 mL입니다.

❹ 작은 눈금 한 칸은 100 mL입니다. 2 L보다 1칸 위에
있으므로 2 L 100 mL입니다.

활동 문제 135쪽

❶ 1 L 800 mL−1 L 600 mL＝200 mL,
200 mL의 반: 200÷2＝100 (mL)

❷ 3 L 400 mL−1 L 300 mL＝2 L 100 mL,
2 L 100 mL의 반:
2÷2＝1 (L), 100÷2＝50 (mL)
➡ 1 L 50 mL

❸ 3 L 900 mL−1 L 100 mL＝2 L 800 mL,
2 L 800 mL의 반:
2÷2＝1 (L), 800÷2＝400 (mL)
➡ 1 L 400 mL

❶일 서술형 길잡이 독해력 길잡이　136쪽~137쪽

1-1 4 L 100 mL

1-2 (1) 3 L 700 mL　(2) 1 L 900 mL
(3) 1 L 800 mL

2-1 예 가 어항에서 나 어항으로 물을 1 L 450 mL
옮겨야 합니다.

2-2 가 어항에는 물이 1 L 500 mL 들어 있고, 나 어항에는 물이 3 L 300 mL 들어 있습니다. 두 어항의 물의 양이 같아지려면 어느 어항에서 어느 어항으로 물을 몇 L 몇 mL 옮겨야 할까요?

/ 예 나 어항에서 가 어항으로 물을 900 mL 옮겨
야 합니다.

1-1 수조에는 물이 1 L 200 mL 있으므로
1 L 200 mL＋2 L 900 mL
＝3 L 1100 mL＝4 L 100 mL입니다.

1-2 (1) 4 L보다 작은 눈금 3칸만큼 밑에 있으므로
3 L 700 mL입니다.

(2) 1900 mL＝1000 mL＋900 mL
＝1 L＋900 mL＝1 L 900 mL

(3) 3 L 700 mL－1 L 900 mL
＝2 L 1700 mL－1 L 900 mL
＝1 L 800 mL

2-1 두 어항에 들어 있는 물의 양의 차는
5 L 700 mL－2 L 800 mL＝2 L 900 mL입니다.
2 L 900 mL의 반은 1 L 450 mL이므로 가 어항에서 나 어항으로 물을 1 L 450 mL 옮겨야 합니다.

2-2 두 어항에 들어 있는 물의 양의 차는
3 L 300 mL－1 L 500 mL＝1 L 800 mL입니다.
1 L 800 mL(＝1800 mL)의 반은 900 mL이므로 나 어항에서 가 어항으로 물을 900 mL 옮겨야 합니다.

┌ 다른 풀이 ┐
(두 어항의 물의 양의 합)
＝1 L 500 mL＋3 L 300 mL＝4 L 800 mL
(한 어항에 담겨야 할 물의 양)
＝4 L 800 mL의 반인 2 L 400 mL
따라서 나 어항에서 가 어항으로 물을
3 L 300 mL－2 L 400 mL＝900 mL 옮겨야 합니다.

1일 사고력·코딩 **138**쪽~**139**쪽

1 양동이, 700 mL **2** 2 L 900 mL
3 1 L 700 mL **4** 2 L 700 mL
5 (1) 약 25 L 200 mL (2) 약 6 L 300 mL

1 2 L 500 mL＞1 L 800 mL이므로 양동이의 들이가 2 L 500 mL－1 L 800 mL＝700 mL 더 많습니다.

2 1 L 300 mL＋1 L 600 mL＝2 L 900 mL

3 수조에 들어 있는 물의 양은 3 L 800 mL입니다.
5 L 500 mL만큼 물을 가득 채우려면
5 L 500 mL－3 L 800 mL＝1 L 700 mL를 더 부어야 합니다.

4 4 L, ↓ 5 L, ← 4 L 900 mL, ↓ 5 L 900 mL,
← 5 L 800 mL, ← 5 L 700 mL,
↑ 4 L 700 mL, ↑ 3 L 700 mL, ↑ 2 L 700 mL

┌ 다른 풀이 ┐
(➡와 ←), (⬇와 ↑)을 각각 같은 수만큼 가면 제자리입니다.
따라서 ← 3번, ↑ 1번을 간 것과 같은 수입니다.
4 L, 3 L 900 mL, 3 L 800 mL, 3 L 700 mL, 2 L 700 mL

5 (1) 1말＝18 L,
4되＝1 L 800 mL＋1 L 800 mL
＋1 L 800 mL＋1 L 800 mL
＝(1×4) L (800×4) mL
＝4 L 3200 mL＝7 L 200 mL
따라서 1말 4되는
18 L＋7 L 200 mL＝25 L 200 mL입니다.

(2) 3되＝1 L 800 mL＋1 L 800 mL
＋1 L 800 mL
＝(1×3) L (800×3) mL
＝3 L 2400 mL＝5 L 400 mL,
5홉＝180 mL의 5배
➡ 180 mL×5＝900 mL
따라서 3되 5홉은
5 L 400 mL＋900 mL＝6 L 300 mL입니다.

2일 개념·원리 길잡이 **140**쪽~**141**쪽

활동 문제 **140**쪽
(왼쪽부터) 1 kg 100 g, 3 kg 200 g, 4 kg 600 g

활동 문제 **141**쪽

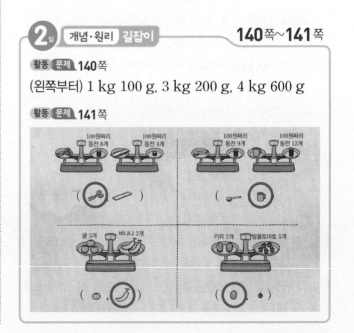

활동 문제 **140**쪽

사과: 1 kg 사이가 작은 눈금 10칸으로 나누어져 있으므로
　　　작은 눈금 한 칸의 크기는 100 g입니다. 4 kg에서
　　　작은 눈금 6칸을 더 갔으므로 4 kg 600 g입니다.

수박: 1 kg 사이가 작은 눈금 5칸으로 나누어져 있으므로
　　　작은 눈금 한 칸의 크기는 200 g입니다. 3 kg에서
　　　작은 눈금 1칸을 더 갔으므로 3 kg 200 g입니다.

파인애플: 1100 g을 나타내므로 1 kg 100 g입니다.

2일 서술형 길잡이 / 독해력 길잡이   142쪽~143쪽

1-1 240 g

1-2 $\boxed{10}$, $\boxed{960}$ ($\boxed{g}$, kg),
　　$\boxed{960}$ ÷3＝$\boxed{320}$ ($\boxed{g}$, kg) / 320 g

2-1 50 g

2-2
저울을 보고 복숭아 1개의 무게가 400 g일 때, 파인애플 1개의 무게는 몇 kg 몇 g인지 구해 보세요. (단, 같은 종류의 과일끼리는 무게가 같습니다.)

복숭아 5개　바나나 4개　　복숭아 2개 바나나 1개　파인애플

／ 1 kg 300 g

1-1 감 2개의 무게는 480 g이므로 감 1개의 무게는
　　480÷2＝240 (g)입니다.

2-1 지우개 3개의 무게는 20＋20＋20＝60 (g)이므로
　　가위 2개의 무게도 60 g입니다.
　　따라서 가위 1개의 무게는 60÷2＝30 (g)입니다.
　　따라서 필통의 무게는 30＋20＝50 (g)입니다.

2-2 복숭아 5개의 무게는 400×5＝2000 (g)이므로
　　바나나 4개의 무게도 2000 g입니다.
　　따라서 바나나 1개의 무게는
　　500＋500＋500＋500＝2000에서 500 g입니다.
　　따라서 파인애플의 무게는
　　400＋400＋500＝1300 (g) ➡ 1 kg 300 g입니다.

2일 사고력·코딩   144쪽~145쪽

1 (1) 3, 200 (2) 5, 600 (3) 9, 700
2 1 kg 950 g
3 (1) 20, 40 (2) 30, 20 (3) 30, 20

2 포도 3송이의 무게의 합은 1 kg 800 g이므로
　포도 1송이의 무게는 600＋600＋600＝1800에서
　600 g입니다.
　바나나 2송이의 무게는 2 kg 700 g이므로
　바나나 1송이의 무게는 1 kg 350 g입니다.
　따라서 포도 1송이와 바나나 1송이의 무게의 합은
　600 g＋1 kg 350 g＝1 kg 950 g입니다.

3 (1) ▽ 4개와 △ 2개의 무게가 같으므로 ▽ 2개와
　　△ 1개의 무게가 같습니다. ➡ △＝20 g
　　△＋▽＋▽＝■이므로
　　■＝20＋10＋10＝40 (g)입니다.

　(2) ● 1개와 ▽ 3개의 무게가 같으므로
　　●＝10＋10＋10＝30 (g)입니다.
　　●＋♣＝(▽ 5개의 무게)이고 ▽＝10 g, ●＝30 g
　　이므로 ♣＝50－30＝20 (g)입니다.

　(3) 첫 번째 저울의 양쪽에서 ▽를 1개씩 빼면
　　♠ 1개와 ▽ 3개의 무게가 같습니다.
　　➡ ♠＝30 g
　　◆＋▽＝♠이고, ▽＝10 g이므로
　　◆＝30－10＝20 (g)입니다.

3일 개념·원리 길잡이   146쪽~147쪽

활동 문제 **146**쪽

❶ 3 kg 200 g (＋ , $\boxed{-}$) $\boxed{1}$ kg
　＝$\boxed{2}$ kg $\boxed{200}$ g

❷ $\boxed{250}$ g ($\boxed{+}$, －) $\boxed{520}$ g＝$\boxed{770}$ g

활동 문제 **147**쪽

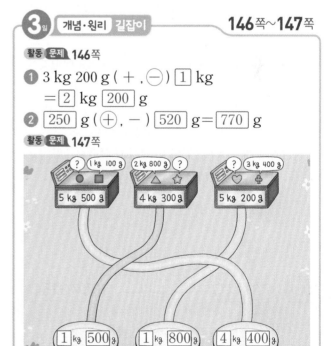

활동 문제 **147**쪽

5 kg 500 g－1 kg 100 g＝4 kg 400 g,

4 kg 300 g－2 kg 800 g＝1 kg 500 g,

5 kg 200 g－3 kg 400 g＝1 kg 800 g

3일 서술형 길잡이 독해력 길잡이 **148**쪽~**149**쪽

1-1 200 g

1-2 ⑴ 1, 90, 400, 690 / 690 g
⑵ 690, 3, 230 / 230 g

1-3 150 g

2-1 35 kg 800 g

2-2 동우, 현석, 수아의 몸무게의 합은 84 kg 200 g입니다. 동우의 몸무게는 29 kg 200 g, 현석이의 몸무게는 31 kg 400 g일 때, 수아의 몸무게는 몇 kg 몇 g일까요?

/ 23 kg 600 g

2-3 1 kg 180 g

1-1 (귤 4개의 무게)=1 kg 110 g−310 g=800 g
(귤 1개의 무게)=800÷4=200 (g)

1-3 (당근 6개의 무게)=1 kg 200 g−300 g=900 g
(당근 1개의 무게)=900÷6=150 (g)

2-1 (순정이와 민수의 몸무게의 합)
=28 kg 500 g+30 kg 900 g
=59 kg 400 g
(정민이의 몸무게)=95 kg 200 g−59 kg 400 g
=35 kg 800 g

2-2 (동우와 현석이의 몸무게의 합)
=29 kg 200 g+31 kg 400 g
=60 kg 600 g
(수아의 몸무게)=84 kg 200 g−60 kg 600 g
=23 kg 600 g

2-3 (사과와 배의 무게의 합)=1 kg 700 g+850 g
=2 kg 550 g
(감의 무게)=3 kg 730 g−2 kg 550 g
=1 kg 180 g

3일 사고력·코딩 **150**쪽~**151**쪽

1 770 g **2** 500 kg
3 7 kg 900 g **4** 4봉지
5 9 kg 200 g

1 (물의 무게)
=(물을 담은 그릇의 무게)−(빈 그릇의 무게)
=1 kg 420 g−650 g=770 g

2 (상자 2개의 무게)=4−3=1 (t)
상자의 무게는 같으므로 상자 1개의 무게는
1 t=1000 kg의 반인 500 kg입니다.

3 1 kg 800 g, ↓ 2 kg 800 g, ➡ 2 kg 900 g,
➡ 3 kg, ➡ 3 kg 100 g, ➡ 3 kg 200 g,
↓ 4 kg 200 g, ↓ 5 kg 200 g, ↓ 6 kg 200 g,
⬅ 6 kg 100 g, ⬅ 6 kg, ⬆ 5 kg, ⬅ 4 kg 900 g,
↓ 5 kg 900 g, ↓ 6 kg 900 g, ↓ 7 kg 900 g

[다른 풀이]
➡ 3번 간 다음 ⬅ 3번 가면 제자리입니다. ✕
↓ 1번 간 다음 ⬆ 1번 가면 제자리입니다.
따라서 ➡ 1번, ↓ 6번 간 것과 같은 수
입니다. ➡ 7 kg 900 g

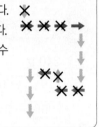

4 1 kg 200 g=1200 g=300 g+300 g+300 g
+300 g이므로 소금을 4봉지 사야 합니다.

5 (가방+책+옷+신발의 무게)
=1 kg 200 g+2 kg 900 g+5 kg 800 g+900 g
=10 kg 800 g
(더 넣을 수 있는 짐의 무게)=20 kg−10 kg 800 g
=9 kg 200 g

4일 개념·원리 길잡이 **152**쪽~**153**쪽

활동 문제 152쪽

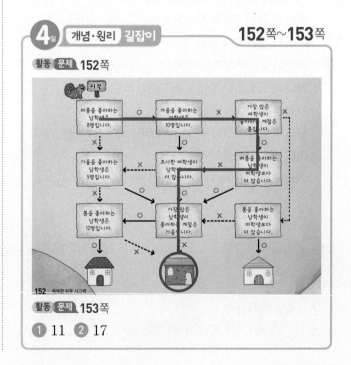

활동 문제 153쪽

❶ 11 ❷ 17

활동 문제 152쪽

여름을 좋아하는 남학생은 8명입니다. ○ →

겨울을 좋아하는 여학생은 10명입니다. × →
                                    8

가장 많은 여학생이 좋아하는 계절은 봄입니다. ○ →

여름을 좋아하는 남학생이 여학생보다 더 많습니다. × →
                                         적습니다.

조사한 여학생이 남학생보다 더 많습니다. ○ →

가장 많은 남학생이 좋아하는 계절은 겨울입니다. × →
                                        겨울

활동 문제 153쪽

❶ (수영, 야구, 축구의 합)=8+10+7=25(명)

(농구)=36-25=11(명)

❷ (사랑, 소망, 믿음의 합)=16+14+15=45(개)

(우정)=62-45=17(개)

4일 서술형 길잡이 독해력 길잡이 **154쪽~155쪽**

1-1 A형

1-2 32, 36, 24, 20, 오렌지 / 오렌지주스

2-1 5, 4

2-2

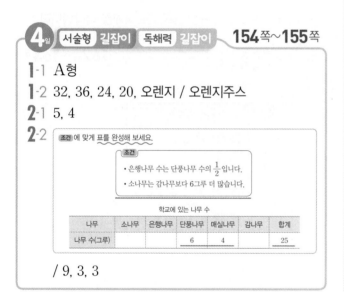

조건 에 맞게 표를 완성해 보세요.

조건

• 은행나무 수는 단풍나무의 $\frac{1}{2}$입니다.

• 소나무는 감나무보다 6그루 더 많습니다.

학교에 있는 나무 수

나무	소나무	은행나무	단풍나무	매실나무	감나무	합계
나무 수(그루)			6	4		25

/ 9, 3, 3

1-1 A형: 9명, B형: 6명, O형: 8명, AB형: 3명이므로 가
장 많은 학생의 혈액형은 A형입니다.

2-1 (짜장면과 떡볶이를 뺀 나머지 음식을 좋아하는 학생
수의 합)=5+7+6=18(명)

(짜장면과 떡볶이를 좋아하는 학생 수의 합)

=27-18=9(명)

9는 5와 4로 가를 수 있으므로 짜장면을 좋아하는 학
생은 5명, 떡볶이를 좋아하는 학생은 4명입니다.

2-2 은행나무는 6의 $\frac{1}{2}$인 3그루입니다.

소나무와 감나무를 뺀 나머지 나무의 합은

3+6+4=13(그루)이므로

소나무와 감나무의 합은 25-13=12(그루)입니다.

12를 차가 6이 되도록 두 수로 가르면 9와 3이므로

소나무는 9그루, 감나무는 3그루입니다.

4일 사고력·코딩 **156쪽~157쪽**

1 (1) 5, 3, 1, 13 / 6, 4, 3, 2, 15 (2) 봄, 7, 28

2 (1) 6, 15, 13

(2) 예 줄넘기 / 예 줄넘기를 하고 싶은 학생이 가장
적으므로 줄넘기를 빼는 것이 좋겠습니다.

1 (2) 태어난 계절별 학생 수는 봄이 10명, 여름이 9명,
가을이 6명, 겨울이 3명입니다.

2 (1) 줄넘기는 7명보다 적어야 하는데 붙임딱지가 6개
붙어 있으므로 6명입니다.

(줄다리기, 달리기, 줄넘기를 하고 싶은 학생 수)

=12+7+6=25(명)

(삼각 달리기와 박 터트리기를 하고 싶은 학생 수)

=53-25=28(명)

28을 차가 2가 되도록 두 수로 가르면 15와 13이므
로 삼각 달리기에 15, 박 터트리기에 13을 씁니다.

(2) 가장 적은 학생이 하고 싶은 줄넘기를 적지 않더라
도 타당한 이유로 다른 경기를 썼다면 정답이 될 수
있습니다.

5일 개념·원리 길잡이 **158쪽~159쪽**

활동 문제 158쪽

❶❷❸

과수원	사랑	소망	희망	합계
생산량(상자)	15	23	21	59

과수원	포도 생산량
사랑	▷▷▷▷▷▷
소망	▷▷ ▷▷▷
희망	▷▷ ▷

▷ 10상자
▷ 1상자

활동 문제 159쪽

❶ 10

❷ 5

활동 문제 158쪽

❶ 사랑 과수원: 15상자이므로 10상자 그림 1개, 1상자 그림
5개를 그립니다.

❷ 59-15-23=21(상자)

❸ 희망 과수원: 21상자이므로 10상자 그림 2개, 1상자 그림
1개를 그립니다.

활동 문제 159쪽

❶ 그림 2개가 20권을 나타내므로 그림 1개는 10권을 나타
냅니다.

❷ 그림 5개가 25명을 나타내므로 그림 1개는 5명을 나타냅
니다.

5일 | 서술형 길잡이 | 독해력 길잡이 | **160**쪽~**161**쪽

1-1 30, 32 /

일주일 동안 팔린 아이스크림 수

종류	아이스크림 수
바닐라	
딸기	
초코	

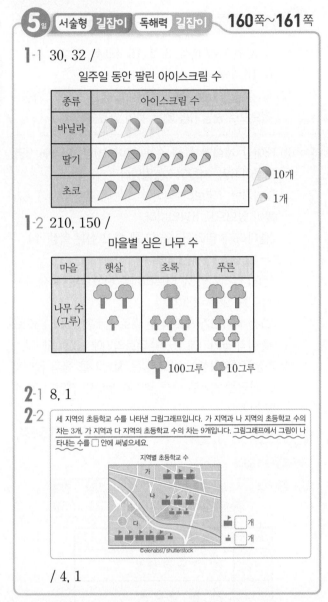

🍦10개
🍦1개

1-2 210, 150 /

마을별 심은 나무 수

마을	햇살	초록	푸른
나무 수 (그루)			

🌳100그루 🌲10그루

2-1 8, 1

2-2 세 지역의 초등학교 수를 나타낸 그림그래프입니다. 가 지역과 나 지역의 초등학교 수의 차는 3개, 가 지역과 다 지역의 초등학교 수의 차는 9개입니다. 그림그래프에서 그림이 나타내는 수를 □ 안에 써넣으세요.

지역별 초등학교 수

⌂□개
⌂□개

©elenabsl/shutterstock

/ 4, 1

1-1 ① 표에서 딸기는 25이므로 그림그래프의 딸기에 큰 그림 2개, 작은 그림 5개를 그립니다.

② 그림그래프에서 바닐라는 큰 그림 3개로 30이므로 표의 바닐라에 30을 씁니다.

③ 표에서 합계는 87이므로 초코는 87−30−25=32입니다.

④ 그림그래프의 초코에 큰 그림 3개, 작은 그림 2개를 그립니다.

1-2 ① 표에서 푸른 마을은 240이므로 그림그래프의 푸른 마을에 큰 그림 2개, 작은 그림 4개를 그립니다.

② 그림그래프에서 초록 마을은 150이므로 표의 초록 마을에 150을 씁니다.

③ 표에서 합계는 600이므로 햇살 마을은 600−150−240=210입니다.

④ 그림그래프의 햇살 마을에 큰 그림 2개, 작은 그림

1개를 그립니다.

2-1 행복 과수원과 사랑 과수원의 그림의 차는 큰 그림 2개이고, 이것은 16상자를 나타냅니다. 따라서 큰 그림 1개는 8상자를 나타냅니다.

사랑 과수원과 우정 과수원의 그림의 차는 작은 그림 3개이고, 이것은 3상자를 나타내므로 작은 그림 1개는 1상자를 나타냅니다.

2-2 가 지역과 나 지역의 그림의 차는 작은 그림 3개이고 이것은 초등학교 3개를 나타내므로 작은 그림 1개는 초등학교 1개를 나타냅니다.

가 지역과 다 지역의 그림의 차는 큰 그림 2개, 작은 그림 1개이고 이것은 초등학교 9개를 나타냅니다. 작은 그림은 초등학교 1개를 나타내므로 큰 그림 2개는 초등학교 8개를 나타냅니다.

따라서 큰 그림 1개는 초등학교 4개를 나타냅니다.

5일 | 사고력·코딩 | **162**쪽~**163**쪽

1 팔린 막대 사탕 수

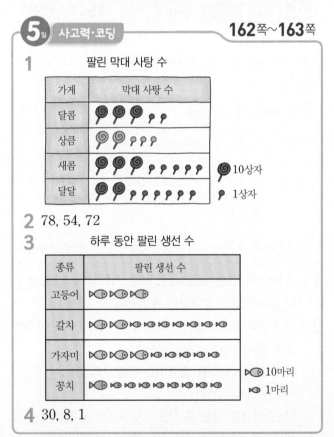

가게	막대 사탕 수
달콤	
상큼	
새콤	
달달	

🍭10상자
🍬1상자

2 78, 54, 72

3 하루 동안 팔린 생선 수

종류	팔린 생선 수
고등어	
갈치	
가자미	
꽁치	

🐟10마리
🐟1마리

4 30, 8, 1

1 막대 사탕이 가장 많이 팔린 가게는 새콤 가게로 35상자가 팔렸으므로 상큼 가게는 35−12=23(상자)가 팔렸습니다.

［다른 풀이］
막대 사탕이 가장 많이 팔린 가게는 새콤 가게이므로 새콤 가게의 그림에서 10상자 그림 1개와 1상자 그림 2개를 뺀 만큼 그림을 그립니다.

2 장미를 좋아하는 학생 수: 26명

➡ 필요한 장미 수: $26 \times 3 = 78$(송이)

튤립을 좋아하는 학생 수: 18명

➡ 필요한 튤립 수: $18 \times 3 = 54$(송이)

국화를 좋아하는 학생 수: 24명

➡ 필요한 국화 수: $24 \times 3 = 72$(송이)

3 고등어: 30마리, 갈치: 27마리, 가자미: 35마리

(고등어＋갈치＋가자미)＝$30＋27＋35＝92$(마리)

(팔린 꽁치의 수)＝$110－92＝18$(마리)

> ┌다른 풀이┐
>
> 고등어, 갈치, 가자미의 그림을 합쳐서 세어 보면 10마리 그림은 8개, 1마리 그림은 12개이므로 $80＋12＝92$(마리) 입니다. 따라서 꽁치는 $110－92＝18$(마리)입니다.

4 가 회사의 판매량은 120상자이므로 가장 큰 그림 1개 는 $120÷4＝30$(상자)를 나타냅니다.

나 회사는 다 회사보다 큰 그림 1개, 가장 작은 그림 1개
└30상자

가 부족한데 이것이 31상자를 나타내므로 가장 작은 그림 1개는 1상자를 나타냅니다.

다 회사를 보면 (큰 그림 3개)＋(중간 그림 1개)＋(가장
└90상자

작은 그림 2개)＝100이므로 중간 그림 1개는
└2상자

$100－90－2＝8$(상자)를 나타냅니다.

4주 특강 창의·융합·코딩 **164**쪽~**169**쪽

1

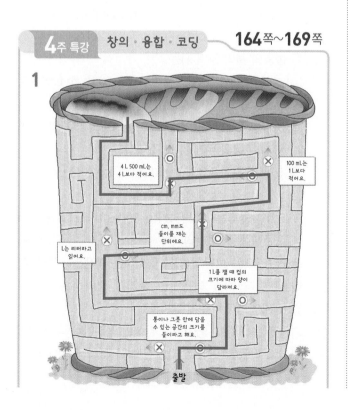

2

3 4 kg 700 g

4 4, 9, 6, 24 / 손승아

5 ❶ 1 kg 800 g ❷ 1 kg 500 g

6 사과, 오렌지, 복숭아

7 9 L

8 6 L 900 mL

9 ❶ 18, 17

❷
좋아하는 놀이 기구

남학생 수	놀이 기구	여학생 수
☺☺☺☺☺	바이킹	☺☺
☺	범퍼카	☺☺☺☺☺☺☺
☺☺☺☺	롤러코스터	☺☺☺☺☺☺
☺☺☺	회전 그네	☺☺☺☺☺

☺10명 ⊙1명

1 1 L는 컵의 크기에 관계없이 같은 양입니다.

cm, mm는 길이를 재는 단위이지 들이를 재는 단위 가 아닙니다.

4 L 500 mL는 4 L보다 많습니다.

2 무게는 물건의 무거운 정도를 말하고, 들이는 그릇 안 에 가득 담을 수 있는 양을 말합니다.

눈금이 있는 컵은 들이를 재기 위한 도구입니다.

5 kg과 5000 g은 같습니다.

3 (녹은 소금의 양)

＝(처음 소금의 양)－(물에서 나왔을 때의 소금의 양)

＝8 kg 300 g－3 kg 600 g

＝4 kg 700 g

4 (민정희, 손승아, 유정철의 득표 수의 합)
　＝5＋9＋6＝20(표)
　(김건우의 득표 수)＝24－20＝4(표)
　득표 수가 가장 많은 사람은 손승아이므로 손승아가 반
　장이 되었습니다.

5 ❶ (고기 3근)＝600＋600＋600＝1800 (g)
　　➡ 1 kg 800 g
　❷ (포도 4근)＝375＋375＋375＋375
　　　　　　　　＝375×4＝1500 (g)
　　➡ 1 kg 500 g

6 (오렌지 4개의 무게)＝(사과 3개의 무게)이므로
　사과 1개의 무게가 더 무겁습니다.
　　➡ 오렌지＜사과
　(복숭아 3개의 무게)＝(오렌지 2개의 무게)이므로
　오렌지 1개의 무게가 더 무겁습니다.
　　➡ 복숭아＜오렌지

7 1 L 500 mL＋1 L 500 mL＝3 L
　2 L 500 mL＋2 L 500 mL＝5 L
　4 L 500 mL＋4 L 500 mL＝9 L

8 3분 동안 나오는 물의 양은 2 L 600 mL를 3번 더한
　2 L 600 mL＋2 L 600 mL＋2 L 600 mL
　＝7 L 800 mL입니다.
　양동이의 들이는 3분 동안 나온 물의 양보다 900 mL
　적으므로 7 L 800 mL－900 mL＝6 L 900 mL
　입니다.

9 ❶ (바이킹과 롤러코스터를 좋아하는 학생 수)
　　＝36＋29＝65(명)
　　(범퍼카와 회전 그네를 좋아하는 학생 수)
　　＝100－65＝35(명)
　　범퍼카를 좋아하는 학생은 회전 그네를 좋아하는
　　학생보다 1명 더 많으므로 범퍼카는 18명, 회전 그
　　네는 17명입니다.
　❷ 남학생 수를 보면 바이킹이 24명, 범퍼카가 10명,
　　롤러코스터가 13명이므로
　　(바이킹＋범퍼카＋롤러코스터)
　　＝24＋10＋13＝47(명)입니다.
　　따라서 회전 그네를 좋아하는 남학생은
　　50－47＝3(명)입니다. 표의 각 항목별 학생 수에
　　서 남학생 수를 빼면 여학생 수가 나옵니다. 여학
　　생 수는 롤러코스터는 29－13＝16(명), 회전 그
　　네는 17－3＝14(명)입니다.

누구나 **100점** **TEST**　　　　**170**쪽~**171**쪽

1 900 mL　　　**2** 1 L 800 mL(＝1800 mL)
3 숟가락 1개　　**4** 1 kg 400 g, 3 kg 800 g
5 5 kg 200 g　　**6** 300 mL
7 500 g
8 25, 17 /

좋아하는 간식

간식	학생 수
떡볶이	😊 😊 😊 🙂 🙂
순대	😊 🙂 🙂 🙂 🙂 🙂
튀김	😊 🙂 🙂 🙂 🙂 🙂 🙂 🙂

😊 10명　🙂 1명

9 예 떡볶이 / 예 가장 많은 학생이 좋아하는 간식이 떡
　볶이이므로 떡볶이를 준비하면 좋을 것 같습니다.

1 1 L가 10칸으로 나누어져 있으므로 작은 눈금 한 칸
　은 100 mL를 나타냅니다.

2 큰 눈금 한 칸은 1 L, 작은 눈금 한 칸은 100 mL를
　나타냅니다. 2 L보다 작은 눈금 2칸만큼 밑에 있으므
　로 1 L 800 mL입니다.

3 숟가락 3개의 무게와 포크 4개의 무게가 같으므로 숟
　가락 1개의 무게가 더 무겁습니다.

4 가방의 무게는 1400 g이므로 1 kg 400 g입니다.
　책의 무게를 잰 저울은 작은 눈금 한 칸이 100 g을 나
　타내므로 책의 무게는 3 kg 800 g입니다.

5 1 kg 400 g＋3 kg 800 g＝5 kg 200 g

6 두 물통의 물의 양의 차는
　3 L 400 mL－2 L 800 mL＝600 mL이므로
　600 mL의 절반인 300 mL를 옮겨야 합니다.

7 귤 5개의 무게는 '빈 바구니와 귤 5개의 무게의 합'에
　서 '빈 바구니의 무게'를 뺀 값입니다.
　(귤 5개의 무게)＝3 kg 800 g－1 kg 300 g
　　　　　　　　　＝2 kg 500 g
　➡ 500 g을 5번 더하면 2 kg 500 g이 되므로 귤 1개
　　의 무게는 500 g입니다.

8 그림그래프를 보면 튀김을 좋아하는 학생은 17명입니
　다. 표의 합계를 이용하면 순대를 좋아하는 학생은
　74－32－17＝25(명)입니다.

9 가장 많은 학생이 좋아하는 간식인 떡볶이를 적지 않았
　더라도 타당한 이유로 다른 간식을 썼다면 정답이 될
　수 있습니다.

정답은
이안에
있어!

기초 학습능력 강화 프로그램
매일 조금씩 공부력 UP!

하루 독해   하루 어휘   하루 글쓰기   하루 VOCA

하루 수학   하루 계산   하루 도형   하루 사고력

하루 사회   하루 과학

과목	교재 구성	과목	교재 구성
하루 수학	1~6학년 1·2학기 12권	하루 사고력	1~6학년 A·B단계 12권
하루 VOCA	3~6학년 A·B단계 8권	하루 글쓰기	예비초~6학년 A·B단계 14권
하루 사회	3~6학년 1·2학기 8권	하루 한자	1~6학년 A·B단계 12권
하루 과학	3~6학년 1·2학기 8권	하루 어휘	1~6단계 6권
하루 도형	1~6단계 6권	하루 독해	예비초~6학년 A·B단계 12권
하루 계산	1~6학년 A·B단계 12권		

※ 각 교재별 출간 시기는 조금씩 다르며, 일부 교재는 순차적으로 출시될 예정입니다.

배움으로 행복한 내일을 꿈꾸는
천재교육 커뮤니티 안내 . . .

교재 안내부터 구매까지 한 번에!
천재교육 홈페이지

천재교육 홈페이지에서는 자사가 발행하는 참고서,
교과서에 대한 소개는 물론 도서 구매도 할 수 있습니다.
회원에게 지급되는 별을 모아 다양한 상품 응모에도
도전해 보세요.

구독, 좋아요는 필수! 핵유용 정보 가득한
천재교육 유튜브 <천재TV>

신간에 대한 자세한 정보가 궁금하세요?
참고서를 어떻게 활용해야 할지 고민인가요?
공부 외 다양한 고민을 해결해 줄 채널이 필요한가요?
학생들에게 꼭 필요한 콘텐츠로 가득한 천재TV로 놀러 오세요!

다양한 교육 꿀팁에 깜짝 이벤트는 덤!
천재교육 인스타그램

천재교육의 새롭고 중요한 소식을 가장 먼저 접하고 싶다면?
천재교육 인스타그램 팔로우가 필수!
누구보다 빠르고 재미있게 천재교육의 소식을 전달합니다.
깜짝 이벤트도 수시로 진행되니 놓치지 마세요!